MW00425127

CUBA EN CRISIS:

PERSPECTIVAS ECONÓMICAS Y POLÍTICAS

JORGE RODRÍGUEZ BERUFF
Compilador

CUBA EN CRISIS:
PERSPECTIVAS ECONÓMICAS Y POLÍTICAS

EDITORIAL DE LA UNIVERSIDAD
DE PUERTO RICO
1995

Primera edición, 1995

©1995, Universidad de Puerto Rico
Todos los derechos reservados según la ley.

Catalogación de la Biblioteca del Congreso
Library of Congress Cataloging-in-Publication Data

Cuba en crisis: perspectivas económicas y políticas /
  Jorge Rodríguez Beruff, compilador.
    p. cm.
    Includes bibliographical references.
    ISBN 0-8477-0210-3
    1. Cuba–Economic conditions–1959- 2. Cuba–politics and
government–1959- 3. Cuba–Foreign relations–1959-
    I. Rodríguez Beruff, Jorge.
HC152.5.C7973   1993
330.97291–dc20   93-5410
CIP

Portada e ilustración de portada: Julio Sánchez
Tipografía y diseño: Carmen M. Cruz-Quiñones

Impreso en Puerto Rico
Printed in the Puerto Rico

EDITORIAL DE LA UNIVERSIDAD DE PUERTO RICO
P.O. Box 23322, San Juan, Puerto Rico 00931-3322
Administración: Tel. (809) 250-0550 Fax (809) 753-9116
Dpto. de Ventas: Tel. (809) 758-8345 Fax (809) 751-8785

CONTENIDO

v

AGRADECIMIENTOS

Muchas personas e instituciones nos han brindado su colaboración en la edición de este libro y deseamos testimoniarles nuestro agradecimiento. El Departamento de Historia, su entonces directora María de los Ángeles Castro y el profesor Javier Figueroa jugaron un papel crucial en la organización del Ciclo de Actividades "Cuba y el Caribe" que sirvió de base a este libro. Los investigadores y otro personal del Centro de Estudios sobre América de La Habana, particularmente Haroldo Dilla, Gerardo González, Santiago Pérez y Yamila Rodríguez, proporcionaron un apoyo constante y entusiasta a este proyecto. El trabajo de edición se llevó a cabo en el Instituto de Estudios del Caribe y su personal nos ayudó de múltiples maneras. A todos los autores les tuve que solicitar su ayuda en algún momento, y todos respondieron con rapidez. La profesora Neida Pagán aceptó, con el mismo compromiso de siempre, la encomienda de preparar la bibliografía selecta. Hizo un excelente trabajo. El estudiante graduado José Medina desinteresadamente emprendió la traducción de los capítulos de Jorge Domínguez y Nelson Valdés en un momento crítico del trabajo de edición. Los colegas Humberto García y Magaly Quiñones, del Instituto de Estudios del Caribe, me hicieron valiosas sugerencias de redacción y sobre el título. Los miembros de la Comisión Académica del Área de Investigación "Paz y desarrollo en el Caribe", que el que suscribe coordina, contribuyeron a crear un espacio de acción intelectual del cual este libro es una expresión. Marta Aponte Alsina, Directora de la Editorial de la Universidad de Puerto Rico, se encargó de este proyecto con gran profesionalismo y comprensión de su relevancia académica. Finalmente, mi querida compañera Aura me brindó su comprensivo apoyo, como en otras ocasiones, lo que le agradezco amorosamente.

INTRODUCCIÓN

¿HACIA DÓNDE CUBA?

Jorge Rodríguez Beruff

Hasta hace tan sólo unos pocos años, la pregunta ¿hacia dónde Cuba? hubiera tenido muy poca pertinencia aparente. La política interna y externa de Cuba parecía tener una orientación claramente definida en la que no eran previsibles cambios radicales. Asimismo, Cuba había desarrollado una nueva institucionalidad posrevolucionaria que representaba un particular modelo de sociedad y estado socialista que, a pesar de innegables dificultades y contradicciones, parecía consolidado y relativamente estable.

Hoy, sin embargo, Cuba se encuentra en medio de la más profunda crisis económica e inmersa en un proceso de cambios cuyo alcance es aún difícil de prever. Cualquiera que sea nuestra opinión sobre si es o no viable alguna forma de socialismo dentro de las nuevas circunstancias internacionales, aspecto sobre el que difieren algunos de los autores de este volumen, consideramos que los cambios que ya se han puesto en marcha constituyen una reestructuración de las relaciones económicas internacionales de Cuba y una redefinición importante de algunos aspectos del arreglo económico interno. Redefinición que, aunque haya sido más evidente y abarcadora en la política económica, no dejará de impactar de diversas formas en el terreno político y social.

Nadie disputa la gravedad de la crisis cubana. Su causa más inmediata fue el desmoronamiento del llamado bloque socialista europeo y los subsiguientes cambios políticos en la antigua Unión Soviética. En 1989, Cuba dependía en un 85% de su comercio exterior con la Unión Soviética y los países del Consejo de Ayuda Mutua Económica (CAME). En sólo un año, de 1989 a 1990, las importaciones de Europa Oriental se redujeron en, aproximadamente, un 50% y las de la URSS en un tercio. Entre 1989 y 1991, el comercio de Cuba con la URSS se redujo de $5.52 a $1.7 billones; es decir, a menos de una tercera parte del nivel de 1989. El total de las importaciones cubanas se contrajo de $8.1 billones en 1989 a entre $2.2 y $3 billones en 1992.

Este colapso relativamente súbito del sector externo de la economía cubana se combinó con la baja simultánea en los precios internacionales del azúcar, que cayeron de un promedio de 13.6 centavos de dólar la libra en el período de noviembre de 1989 a septiembre de 1990, a 9.1 centavos promedio para noviembre de 1990 a septiembre de 1991. Además, el tamaño de la zafra se ha ido reduciendo cada año desde 1989 y se espera que mantenga esa tendencia en 1993 por falta de piezas de repuesto e insumos vitales. La zafra de 1992 fue casi 1.5 millones de toneladas más pequeña que la de 1990, según las cifras oficiales más recientes. Todo esto significa que el valor en divisas de la zafra de 1992 podría ser casi una cuarta parte de lo obtenido por concepto de exportaciones azucareras en 1988. Esto configura una gravísima situación de disponibilidad de divisas a pesar de los avances relativamente rápidos que se han hecho en actividades no tradicionales como el turismo y la biotecnología.

Otro aspecto de estos desarrollos en el terreno económico ha sido la contracción en más de la mitad de las importaciones cubanas de petróleo, que habían alcanzado 13.11 millones de toneladas en 1989, para caer bruscamente a aproximadamente 6 millones en 1992. Este y otros factores provocaron que el Producto Social Global (PSG) cubano se haya reducido rápidamente en los últimos tres años. Existen diversos estimados de esta contracción. El que aparece en la Tabla 1 podría ser conservador, ya que entre los académicos cubanos se estima la cifra en un 40% de reducción acumulada. Una contracción de la actividad económica de esta magnitud y en tan breve período es de dimensiones realmente catastróficas. Nunca antes Cuba se había encontrado en una coyuntura económica tan desfavorable y con tan poco espacio de maniobra para formular una política que permita sobrepasar la crisis. La Tabla 1, en las pp. xii, xiii, contiene algunos indicadores macroeconómicos recientes.

No deseamos entrar aquí a discutir las dramáticas consecuencias que esta crisis ha tenido para la vida cotidiana de todo el pueblo y que ya han sido bastante difundidas: aumento en el desempleo, que ya se calculaba en 6% en 1988, drástica reducción de la capacidad de consumo, crisis en la transportación, apagones, deterioro de la calidad de los servicios, paralización de fábricas, aumento del mercado negro y de la delincuencia común...

Los acontecimientos más recientes también parecen tener que ver con tendencias que se habían hecho presentes en la sociedad y en la economía cubana en períodos anteriores. Casi todos los analistas consideran que el fracaso de la "zafra de los 10 millones" de 1970 y la desorganización económica que produjo constituyen un parteaguas en la historia cubana reciente. Luego de esa experiencia se abandonaron los intentos por formular un modelo radicalmente innovador de socialismo —que una autora de este volumen califica de

TABLA 1
Cuba: principales indicadores, 1987-1992.

	1987	1988	1989	1990	1991	1992
Crecimiento PSG Real %	-3.5	2.1	2.0	-1.5	-15 a -24^e	-6 a -11^e
Crecimiento PSG per cápita	-4.6	1.0	0.9	-2.6		
Exportaciones	5,401	5,671	5,592	5,185	3,910	2,240 a 2,970^e
Importaciones (millones de pesos)	7,612	7,579	8,124	6,745	n.d.	2,270 a 3,000^e
Zafra azucarera Exportaciones (millones de ton. métricas)	7.47 6.70	7.23 6.48	8.12 6.98	8.43 7.17	7.62 6.77	6.5^e 5.6^e
Valor en divisas (millones $US)		4,087	3,914	3,645	2,575	937e a 1,257^e

Petróleo Importaciones. Prod. nacional (millones TM)	13.7 .9	13.0 .7	n.d. .7	10.1	8.6	4 a 6^e
Deuda Externa con la URSS en divisas (millones $US)	n.d. 5,657	n.d. 6,450	24,500^x 6,201	n.d. 7,000	n.d. 7,000^e	12.0^x 7,000^e

NOTAS:

n.d. : No disponible
PSG : Producto Social Global
e : Estimado
x : El estimado ruso de la deuda cubana es de 28 mil millones de dólares. Sin embargo, si se utilizara la tasa de cambio dólar-rublo de septiembre de 1992, la deuda real de Cuba con la antigua URSS se habría evaporado, ya que alcanzaría un nivel de 120 millones de dólares. La deuda en dólares para 1989 se calculó utilizando la tasa de cambio del rublo vigente en noviembre de 1989.

Fuente: Preparado por el autor de las tablas que aparecen en Archibald M. Ritter, "La reducción de los ingresos de divisas de Cuba" en *Business Tips on Cuba*, I,3 (dic.,1992):3.

"socialismo a la cubana"– y se adoptaron los modelos de conducción económica y de estructura partidista y estatal de la URSS y de la Europa Oriental.

El proceso de construcción institucional que se desarrolló durante la década de los setenta con esta orientación se conoció como el "Proceso de Institucionalización", y los cambios fueron recogidos en la primera Constitución Socialista cubana aprobada por el Primer Congreso del Partido Comunista Cubano en diciembre de 1975 y ratificada en referéndum nacional el 5 de febrero de 1976. En esa época se echaron los cimientos de aspectos claves de la organización administrativa del estado cubano y se crearon los "Órganos del Poder Popular" a nivel municipal, provincial y nacional como nuevos mecanismos de representación y participación popular.

Al contrario del estancamiento de la economía cubana durante el período de cambios revolucionarios en los sesenta, la década de los setenta fue de un crecimiento relativamente rápido. En la primera mitad de esa década la economía cubana creció a una tasa promedio del 7.5% anual, seguida por un período de crecimiento más moderado del 4% en el período de 1976 a 1980. Esta tendencia favorable continuó durante la primera mitad de los ochenta, cuando se sobrepasó la meta de un 5% de crecimiento, llegando al 7.3%.

Dos elementos que evidentemente contribuyeron a este desempeño económico positivo fueron: el carácter muy favorable para Cuba de los arreglos comerciales y de asistencia logrados con la URSS y la coordinación de los planes económicos con el CAME.

Paradójicamente, fueron precisamente estas ventajas económicas las que hicieron menos necesaria la eficiencia y la diversificación interna y externa de la economía cubana y tornaron más grave la actual coyuntura.

El modelo económico cubano nunca requirió un uso intensivo de los recursos y de la fuerza de trabajo. Como Gerardo González expone en uno de los capítulos de este volumen, el crecimiento fue "extensivo". La productividad, a pesar de la atención que recibió en la esfera retórica, nunca constituyó un elemento fundamental del arreglo económico. El modelo podía absorber un alto grado de ineficiencia por el carácter de las relaciones económicas internacionales en que estaba insertada Cuba.

La década de los setenta fue también relativamente favorable para Cuba en el terreno de la situación internacional. La Guerra de Vietnam sirvió para desviar la atención de Estados Unidos de su pequeño antagonista caribeño y, finalmente, para debilitarle internacionalmente. Los fracasos de la política insurreccional inicial de Cuba hacia América Latina llevaron a una redefinición de su política exterior hacia la región e incrementaron su interés por otras áreas, particularmente Africa, consideradas de mayor potencial revolucionario. Del lado estadounidense, las administraciones de Nixon, Ford y Carter tendieron a bajar el nivel de la confrontación con Cuba y se lograron algunos avances hacia una relación más normal en ciertas áreas. Sin embargo, nunca se produjo un cambio fundamental que alterara el carácter esencialmente antagónico de esa relación.

Para fines de los setenta, y aún durante la presidencia de Carter, se produjo un rápido deterioro en las relaciones entre Cuba y Estados Unidos. Las razones para el aumento de las tensiones tuvieron que ver con la percepción de Estados Unidos de la creciente influencia internacional de Cuba en regiones como el Caribe y Centroamérica y en Africa, y por el cambio político interno que estaba ocurriendo en ese país al producirse el ascenso de las llamadas fuerzas "neo-conservadoras" que finalmente llevaron a Ronald Reagan a la presidencia. La emigración cubana en masa que se dio durante este empeoramiento de las relaciones con Estados Unidos (125,000 personas salieron en 1980 por el puerto de Mariel) sirvió para demostrar, simultáneamente, la persistencia de importantes contradicciones internas y el apoyo de una parte considerable de la población al proceso.

La elección de Ronald Reagan a la presidencia en 1980 intensificó las tensiones entre Cuba y los Estados Unidos por un largo período de más de una década. De la retórica agresiva de Alexander Haig ("ir a la fuente") se pasó a una estrategia de "confrontación indirecta" en Grenada, Centroamérica y Africa. Las administraciones Republicanas promovieron también iniciativas como Radio y TV Martí y le dieron considerable apoyo a la conservadora Fundación Nacional Cubana Americana (FNCA). La enmienda Torricelli, aprobada en septiembre de 1992, aunque justificada como una mezcla de castigos e incentivos para la promoción de la democracia en Cuba, responde a la lógica de incrementar la presión económica en un momento de debilidad con el objeto de provocar un colapso del régimen. Es decir, constituye sencillamente una escalada en las medidas de presión implantadas por las administraciones Republicanas durante la década de los ochenta.

La victoria electoral del Partido Demócrata y el ascenso a la presidencia de Bill Clinton no significarán necesariamente cambios importantes en la política hacia Cuba, al menos no a corto plazo. Un número considerable de altos funcionarios de la nueva administración, como Warren Christopher, Secretario de Estado, Bruce Babbitt, del Interior, Federico Peña, de Transportación, y Henry Cisneros, de Vivienda, están vinculados al Interamerican Dialogue. El informe sobre Cuba de esta organización, de octubre de 1992, titulado "Cuba and the Americas: Reciprocal Challenges", propuso, como alternativa a la actitud dura de Torricelli y de la FNCA, mantener una versión algo suavizada y revisada del embargo económico. Las revisiones iniciales que propone tienen que ver principalmente con el campo de las comunicaciones y los intercambios académicos con propósitos que podrían no ser percibidos positivamente por el gobierno cubano. Otros cambios dependerán de una serie de "gestos mutuos" que finalmente transformen las relaciones entre Cuba y los Estados Unidos.

Por otro lado, el anuncio de la nueva Administración de su intención de nombrar a Mario Baeza, un abogado cubano negro residente en New Jersey que contaba con el apoyo de los sectores liberales del Partido Demócrata, al cargo de Subsecretario de Estado para Asuntos Interamericanos, causó furor entre las organizaciones más conservadoras del exilio de Miami, las cuales lograron vetar esa candidatura. Aparte de estos datos coyunturales, las prioridades del nuevo gobierno en Washington —que tienen que ver con la situación económica interna— no parecen incluir una atención particular a Cuba (ni demasiado interés por el Caribe en general).

A pesar del deterioro de las relaciones entre Cuba y los Estados Unidos en los años ochenta, Cuba logró mantener un ritmo de crecimiento económico relativamente alto y un perfil internacional que hizo que algunos calificaran la política exterior de Cuba como de "potencia media". Mientras la mayor parte de los países de América Latina se hallaban en difíciles circunstancias económicas durante la llamada "década perdida", Cuba mantuvo, como hemos señalado, una tasa de crecimiento superior al 7% durante la primera mitad de la época. Además, a pesar del revés sufrido por su política regional en 1983 en Grenada, Cuba se mantuvo como un actor internacional importante en Centroamérica y en Africa. Recordemos que en 1987 ocurrió la decisiva batalla de Cuito Cuanavale en Angola, con resultados desfavorables para las fuerzas armadas de Africa del Sur, y en 1988 la negociación sobre la salida de las tropas cubanas de Angola.

Sin embargo, ya desde mediados de la década de los ochenta Cuba comenzó a confrontar dificultades internas que sirven de trasfondo y se combinan con los dramáticos acontecimientos internacionales de fines de los ochenta. El crecimiento económico tendió a desacelerarse en 1985 (1.4%) y 1986 (0.8%), y fue negativo en 1987 (-3.5). En 1986, el huracán Kate impactó negativamente la producción azucarera, y la caída en los precios del petróleo redujo los ingresos por concepto de reventa del petróleo soviético excedente. En estas circunstancias se decidió suspender el pago de la deuda externa. El comportamiento de la economía entre 1986 y 1989 no fue muy alentador.

Además, para mediados de los ochenta, la dirigencia cubana juzgó que no sólo se había deteriorado la situación económica sino que también estaban presentes tendencias sociales y políticas que consideraron antagónicas al curso socialista del proceso. Fue entonces, en abril de 1986, cuando se lanzó el "Proceso de Rectificación de Errores y Tendencias Negativas", mejor conocido como la "rectificación". Este proceso buscaba combatir la ineficiencia económica y el burocratismo e introducir un mayor grado de austeridad, aunque también terminó con experimentos con el mercado como el llamado "mercado libre campesino". La "rectificación" fue un proceso complejo que trató de evitar una estrategia de ajuste que, para hacer frente a los desarrollos económicos desfavorables, afectara componentes claves del modelo .

Es importante señalar también que la "rectificación" tuvo como contexto externo los procesos de movilización política que ya comenzaban a anunciar la crisis de los regímenes del bloque socialista de la Europa Oriental y la *perestroika* de Gorbachov en la URSS. La opción de la dirigencia cubana frente a esos desarrollos fue definir un curso que parecía ir en dirección opuesta a las reformas del gobierno de Gorbachov, subrayaba el carácter socialista del proceso y rechazaba cualquier concesión a mecanismos de mercado. La "rectificación", sin embargo, fue finalmente sustituida por el llamado "Período Especial en Tiempos de Paz" que buscaba hacer unos ajustes rápidos, sobre todo en el terreno de la política económica, para hacer frente a los desarrollos negativos para Cuba que ocurrieron en la esfera internacional entre 1989 y 1991.

Durante el período 1989 a 1992 ocurrieron acontecimientos políticos internos de gran importancia. El llamado caso Ochoa y la crisis concomitante en el Ministerio del Interior (1989) sacudieron la estructura de poder del estado cubano y al país. Más tarde, la precipitada caída de Carlos Aldana (1992) creó la impresión de inestabilidad en la cúpula del liderato político. En ambos casos estuvieron presentes problemas de corrupción y de ausencia de controles sobre el liderato político. Lo primero tiene particularmente serias implicaciones en una cultura política que coloca gran énfasis en aspectos éticos y morales (como discute Nelson Valdés en uno de los capítulos de este libro).

Por otro lado, el "Llamamiento al IV Congreso del Partido Comunista Cubano" abrió un período de amplia e intensa discusión política en el país, aunque los resultados del Congreso, realizado en octubre de 1991, en el terreno de los cambios políticos no correspondieron, según algunos, a las grandes expectativas creadas. No obstante, el desarrollo, a pesar de las limitaciones que claramente existen, de las estructuras de representación y participación en el Estado (en particular la elección directa de los delegados a la Asamblea del Poder Popular) implicó un cambio de no poca importancia. En lo que respecta a la economía, se esperaba que se produjeran cambios en los lineamientos sobre la manera de organizar y dirigir la economía. Sin embargo, no ocurrió una definición clara en este terreno.

Si tomamos en cuenta los rápidos cambios que se han producido en la esfera de la política económica —como la promoción del turismo, de la inversión extranjera, de empresas mixtas y otras—, las reformas políticas que se han puesto en marcha y el reajuste de la política exterior de Cuba, el cuadro general nos parece más de flujo y transformación que de inmovilidad. Las elecciones realizadas el 24 de febrero de 1993 para elegir los 589 miembros de la Asamblea Nacional y 1,190 representantes a las Asambleas Provinciales, por ejemplo, fueron definidas como plebiscitarias tanto por el gobierno como por Radio Martí. El alto nivel de participación (98%) y los niveles relativamente reducidos de votos en blanco y nulos, según cifras oficiales, hacen poco creíble el escenario de quiebra catastrófica del orden político que algunos analistas y sectores políticos predijeron en tiempos recientes. Predicción, por cierto, muy asociada a las propuestas de endurecer la política exterior de Estados Unidos hacia Cuba. Sin embargo, el balance y final desenlace de los procesos de restructuración económica y reajuste político es aún difícil de prever.

Con el propósito de analizar esta nueva coyuntura en que se encuentra Cuba desde mediados de los ochenta, el Departamento de Historia y el Area de Investigación "Paz y desarrollo en el Caribe" del Instituto de Estudios del Caribe de la Universidad de Puerto Rico auspiciaron durante el mes de marzo de 1992 un ciclo de actividades académicas bajo el título "Cuba y el Caribe". Los principales conferenciantes fueron Nelson Valdés, Haroldo Dilla, Marifeli Pérez Stable y Gerardo González. En ese mismo período Santiago Pérez también visitó Puerto Rico para ofrecer unas conferencias invitado por el Centro de Investigaciones Académicas (CEINAC) de la Universidad del Sagrado Corazón. Los capítulos aportados por estos investigadores corresponden a los temas tratados en sus conferencias, con la única excepción del capítulo de Haroldo Dilla sobre la participación obrera.

Este libro es, pues, el resultado de ese período de rica discusión intelectual, la cual sólo podemos capturar parcialmente en estas páginas con las excelentes contribuciones de los autores. Aquí se recogen varias aproximaciones a la actual crisis cubana desde diversas perspectivas políticas. No pretende abarcar todas las dimensiones de la actual coyuntura sino presentar algunas investigaciones recientes sobre algunos aspectos relevantes. A las aportaciones de los investigadores cubanos que se dieron cita en Puerto Rico durante 1992, hemos añadido un escrito de Jorge Domínguez titulado "Cuba en un nuevo mundo" que ofrece otra perspectiva de los aspectos internacionales de la situación de Cuba.

Las aportaciones tienen en común un profundo interés por desentrañar las claves de la situación cubana desde una perspectiva académica rigurosa. También comparten el interés por el bienestar del país como cada uno de ellos lo entiende. Pensamos que este libro concitará el interés tanto de los especialistas en temas cubanos como del público general, ya que sus capítulos están escritos en forma accesible para todos los que deseen conocer más sobre la realidad cubana actual.

Los conocedores de la producción académica cubana de Ciencias Sociales identificarán de inmediato otra característica de este libro: tiene la particularidad de reunir —hecho

cada vez menos raro— las aportaciones de conocidos académicos cubanos de dentro y de fuera de Cuba. Los investigadores residentes en Cuba forman parte del Centro de Estudios de América (CEA) de La Habana, uno de los centros de
investigación cubanos de mayor relieve en el campo de las
Ciencias Sociales. Los del exterior pertenecen a diversas
instituciones de educación superior y todos son bien conocidos por sus contribuciones al análisis de la economía y la
política cubana.

Pese a las diferencias ideológicas que puedan existir, los
autores se acercan a sus temas de investigación con gran rigor
y originalidad. El terreno compartido de la investigación
científica rigurosa y del interés por el futuro de Cuba
permite un intercambio que se da en estas mismas páginas.
El lector sensible podrá acercarse a este libro como un
espacio donde los autores se hablan unos a otros sobre el país
que Cuba es y el que podría ser. Y es que el diálogo jamás
puede ser anatematizado en la indagación científica y la
empresa intelectual. Al contrario, es un supuesto.

En el Capítulo 1, "El fin de la URSS y Cuba", Santiago
Pérez, investigador del CEA, explora un factor precipitante
fundamental de la actual crisis cubana: los procesos de
cambio que culminaron en la disolución de la URSS. El fin
del principal aliado económico y político de Cuba por más
de tres décadas —relación que por mucho tiempo, pareció
inconmovible— ha tenido dramáticas repercusiones en las
posibilidades internacionales de Cuba, en su capacidad militar y en la dinámica económica y política interna, entre otros
aspectos. Según el autor, la crisis provocada por estos cambios también encierra oportunidades para el desarrollo de
estrategias innovadoras cuya implantación se hace indispensable para la retención de los elementos claves del sistema.

Jorge Domínguez, destacado analista cubano de la Universidad de Harvard, proporciona, en el Capítulo 2, un

provocador análisis sobre las implicaciones de la crisis en la situación interna y externa de Cuba y reitera algunos de los temas tratados por Santiago Pérez, pero desde una perspectiva distinta. Para Domínguez los cambios en su conjunto han significado que Cuba se ha tornado en un país caribeño "normal" en lo que respecta a su presencia internacional, sus patrones comerciales y algunos de sus problemas internos. Esto ha significado que se han erosionado muchos de los factores que creaban antagonismo entre Cuba y los Estados Unidos, pero aún queda planteado, desde la perspectiva de Estados Unidos, el carácter del orden político y económico interno. Según Domínguez, la resistencia a implantar cambios internos implicará una incapacidad para superar la crisis. Los cambios podrán ser introducidos gradualmente por el actual gobierno o por un nuevo régimen.

En el Capítulo 3, "Cuba y el mercado mundial", Gerardo González, joven economista del CEA, enfoca más detalladamente los aspectos económicos de la crisis aunque tomando en cuenta también la dimensión política. Para González, las raíces de la crisis no se deben buscar solamente en los factores de índole internacional sino también en el modelo socialista que se desarrolló en Cuba. La crisis es también la de "un modelo de acumulación por vía extensiva" y plantea la necesidad de "definir los mecanismos que posibilitarán una mayor y mejor explotación de los recursos humanos y materiales". Esto, a su vez, requiere un acercamiento sistémico a los cambios económicos y políticos que aseguren la preservación de la opción socialista.

Haroldo Dilla, Gerardo González y Ana Teresa Vicentelli analizan una dimensión política importante, la del poder local en Cuba, en el Capítulo 4, titulado "Participación y desarrollo en los municipios cubanos". Este capítulo recoge parte de los resultados de una investigación empírica realizada desde el CEA en cuatro municipios a lo largo de varios años con el apoyo de una fundación canadiense. Los municipios seleccionados (Chambas, Centro Habana, Santa Cruz del Norte y Bayamo) presentan situaciones y características muy diversas. Para los autores, el poder local ha sido una interesante experiencia de participación popular que puede ser desarrollada aún más con la ampliación de los espacios de participación democrática a través de un acercamiento pluralista y de la descentralización del poder.

En el Capítulo 5, "Socialismo, empresas y participación obrera", Haroldo Dilla se acerca a otro aspecto relevante del sistema político cubano: el papel de los sindicatos. Según el autor, la participación de los sindicatos en la vida de las empresas y en la política ha sufrido fluctuaciones que responden a las cambiantes percepciones del liderato político. En este capítulo se definen varias etapas con grados y formas diversas de participación obrera, siendo la de mayor intensidad la que se dio durante el "Proceso de Institucionalización" en los setenta. La "rectificación" y el "Llamamiento al IV Congreso del PPC" crearon una nueva coyuntura favorable para la redefinición del papel de los sindicatos, pero las prioridades establecidas durante el "Período Especial" indican la poca importancia que se le adscribe a este problema en el contexto de la crisis. Dilla considera que la promoción de la participación obrera es un ingrediente importante para superar la crisis y para democratizar al país desde la base.

El Capítulo 6, de Nelson Valdés, sobre la cultura política cubana, "La cultura política cubana: entre la traición y la muerte", explora aspectos más profundos y duraderos del sistema político cubano. Según Valdés la cultura política cubana, compartida por todos los actores, irrespectivamente de diferencias ideológicas de izquierda y derecha, es una suerte de ideología nacional forjada durante dos siglos de formación de una identidad nacional y de lucha por la autodeterminación. Esta cultura política está marcada profundamente por cuatro elementos: la visión generacional de la historia y la política, el idealismo moralista, la importancia asignada a la traición y el imperativo del sacrificio máximo por el deber patrio. No es el propósito principal del autor explicar su etiología sino más bien describir su significado e implicaciones y mostrar su vigencia a través del tiempo. El análisis de Valdés plantea dos problemas prácticos. En el plano externo, Valdés señala la ignorancia de esta matriz de cultura política por parte de los formuladores estadounidenses de política hacia Cuba con posibles resultados inesperados o contrarios a sus objetivos. En el plano interno, aunque Valdés nos plantea que no debemos inquietarnos por su análisis, éste tiene serias implicaciones para la vigencia de prácticas democráticas bajo cualquier tipo de régimen si no se produce una transformación de la cultura política o, más bien, la construcción de una cultura política democrática.

Marifeli Pérez Stable contribuye con el Capítulo 7, titulado "La Cuba que aún puede ser". En este ensayo, la autora propone como tesis central que "la crisis se debe principalmente al socialismo y no a la revolución". La revolución aportó dos elementos claves cuya defensa es vital: independencia nacional y justicia social. La respuesta ante la crisis no debe ser la defensa a ultranza de su carácter socialista, sino la búsqueda de otros arreglos económicos y políticos internos que preserven las "conquistas" revolucionarias y posibiliten la democracia. La transformación demográfica y sociológica de la población cubana por el propio proceso revolucionario impone la búsqueda de una nueva opción, distinta de las conocidas alternativas polares.

Gerardo González aporta el último capítulo del libro donde aborda un tema cuya relevancia se magnifica por los reajustes en la política exterior de Cuba. En el capítulo titulado "El Caribe en la política exterior de Cuba", el autor traza el desarrollo de las relaciones en el plano oficial entre Cuba y el Caribe desde 1959 hasta el presente. Estas relaciones, según González, nunca han tenido un alto grado de prioridad para el estado cubano y su acercamiento al Caribe ha sido fuertemente condicionado por consideraciones de seguridad. El período post-Grenada colocó los vínculos regionales en su punto más bajo, pero la situación de Cuba en los noventa hará imperativa una reevaluación de la importancia del Caribe para Cuba y creará nuevas oportunidades para el desarrollo de las relaciones oficiales. Las iniciativas recientes de los países del CARICOM en favor de un acercamiento a Cuba ayudan a sustentar la posición de González.

Para facilitar a los lectores interesados un conocimiento más profundo de los problemas abordados en los ensayos, hemos decidido incluir una bibliografía especializada en temas económicos y políticos contemporáneos con materiales de reciente publicación. Esta bibliografía incorpora también algunos textos de consulta obligada sobre la realidad cubana. Ha sido preparada por la profesora Neida Pagán, asesora bibliográfica del Area de Investigación "Paz y desarrollo en el Caribe".

Tomados en conjunto, estos trabajos le proveerán al lector, especializado o no, de elementos para acercarse a la actual coyuntura cubana de forma más informada y ponderada. Esperamos que encuentre en este volumen diversas perspectivas económicas y políticas de una situación de gran complejidad y fluidez, que le permitan identificar algunas de las opciones y tendencias de cambio que se presentan en el caso cubano.

CAPÍTULO 1

EL FIN DE LA URSS Y CUBA

Santiago Pérez

La evolución del proceso cubano actual, de una forma u otra, está marcada por el impacto que le produjo la desaparición de la Unión de Repúblicas Socialistas Soviéticas (URSS), principal aliado del país en la esfera internacional y con el que mantenía cerca del 80% de sus relaciones económicas y comerciales.

En este capítulo nos detendremos, precisamente, a discernir en qué aspectos y magnitud incidió sobre el país el fin de la URSS, tanto en la esfera de las relaciones internacionales de la isla, como en su economía y política doméstica.

Pero antes de abordar propiamente esta temática, el texto va a apuntar en los dos primeros epígrafes los rasgos y motivaciones del curso de la *perestroika* hacia Cuba (desde 1985 hasta agosto de 1991) así como las características esenciales de la nueva situación bilateral entre la Confederación de Estados Independientes (CEI) y Cuba a partir de la desaparición de la Unión y la emergencia de repúblicas independientes, sobre todo Rusia.

La política de la *perestroika* y Cuba

Desde 1985 hasta agosto de 1991 la política soviética hacia la Isla fue variando en gran medida y dependiendo de ecuaciones mucho más generales que la perestroika. En primer lugar dependió del forcejeo interno entre las fuerzas "conservadoras" y "reformistas" y, a medida que se fue decantando y polarizando el proceso, entre "socialistas" y "procapitalistas",[1] siempre a favor de los últimos. Esto provocó presiones desde el Parlamento y los propios gobernantes a favor de la reducción de los vínculos económicos, políticos y militares con la isla.

A ello también debe añadirse la prioridad que el equipo de Gorbachov otorgó a las relaciones con Estados Unidos: primero, al entendimiento con Reagan y después, a la subordinación en la práctica a Bush, llegando a posiciones de cuasi-imploración de ayuda económica. Resultó evidente que la URSS priorizó sus relaciones con Estados Unidos a costa de sus vínculos con el Tercer Mundo y con Cuba, buscando por todos los medios que los nexos con esta última no entorpecieran las relaciones con los norteamericanos. En esta dinámica, Cuba perdió el significado ideológico, político y militar que conservaba en tiempos de la confrontación Este-Oeste.

Otro factor que pesa en la actitud hacia Cuba en este período es el lugar casi insignificante que la dirección soviética le otorgó al Tercer Mundo y a sus procesos revoluciona-

---

[1] Entrecomillo todos estos conceptos porque no quiero identificarme con ninguno ya que muchos han perdido su significado en virtud de la tergiversación que han sufrido las batallas políticas en la URSS y su tratamiento superficial en Occidente.

2

rios, cuya percepción se fue coloreando por la paulatina —violenta finalmente— deslegitimación en la sociedad soviética del ideal socialista y de todo lo que él simbolizaba, de la retirada y reducción de la presencia militar de Europa y del Tercer Mundo y, sobre todo, de un asombroso debilitamiento del estado soviético, que de 1989 a 1990 perdió el status de superpotencia, y después casi la calidad misma de potencia.

En el plano económico, las relaciones con La Habana también fueron afectadas por el desbarajuste general que ocasionaron los cambios en el mecanismo económico federal, republicano, local y de las empresas, así como por la readecuación de los lazos externos amparados en la filosofía de la "economía de mercado" y la "ganancia mutua". Pero más impacto produjo la catástrofe productiva global y de ramas específicas (petróleo y cereales, por ejemplo) que impidieron entregas de mercancías a la Isla, aunque a veces no hubiera sido tal el deseo.

Sin embargo, a diferencia de lo que ocurrió con sus exaliados tercermundistas y este-orientales, habría que decir que con Cuba el distanciamiento soviético fue paulatino. Hasta agosto de 1991 se evidenció una cierta voluntad política de mantener los lazos de "amistad" con el gobierno isleño, si bien se trató a toda costa de reducir los costos económicos y políticos que esa relación implicaba. Esto aparecía continuamente en las declaraciones de las autoridades soviéticas, tanto durante la visita de Gorbachov a la Isla en abril de 1989, como posteriormente en las conversaciones que sostuvieron con Carlos Aldana (Miembro del Buró Político del Partido Cubano) en julio de 1991, un mes antes del golpe de estado y de la virtual desaparición del estado soviético. A nuestro juicio, esta ambigüedad soviética, además de lo difícil que resultaba distanciarse abruptamente de un aliado con más de treinta años de relaciones, se explicaría

3

por el lugar específico que ocupaba Cuba en la política externa e interna de la URSS.

A diferencia de otros ex-aliados soviéticos, en el caso de Cuba no se trataba de un país cuya dirección fuera manejada desde Moscú, sino más bien un aliado "dependiente económicamente", donde la revolución ni fue exportada en tanques soviéticos ni se encontraba en su tradicional esfera de influencia. Y distinto a los procesos revolucionarios del Tercer Mundo, Cuba fue siempre considerado como de la "Comunidad Socialista". De hecho, en Cuba la URSS no entró por su propia cuenta como potencia hegemónica, sino que fue invitada a "entrar y quedarse" y la dirección cubana no mostró jamás interés en abandonar esas relaciones privilegiadas. Por tanto, era más difícil y comportaba mayores costos políticos "retirarse" de un lugar donde se es invitado y sostenido, que de uno donde se es prácticamente expulsado por los pueblos y gobiernos, como pasó en Europa Oriental. ¿Por qué no mantener una relación normal con el gobierno cubano, de "desenganche" paulatino, sin hacerlo traumático?

Además, se debe recordar que en este período Cuba era un país con incidencia en el mundo y en el Movimiento de los No Alineados lo que conllevaba costos políticos importantes para los soviéticos, sobre todo en lo que tiene que ver (más allá de la ideología) con su postura de cara a cualquier aliado, al apoyo a las reivindicaciones de soberanía del Tercer Mundo y América Latina, para no hablar de las fuerzas de izquierda en las distintas sociedades.

En la política soviética de la *perestroika* pesaron también las consideraciones de la responsabilidad histórica que la URSS tenía para con la independencia y estabilidad de una nación, no sólo de un gobierno o de un partido. Ante un "abandono soviético" militar o económico esta nación pudiera haber sido expuesta —en su percepción— a una catástro-

4

fe endógena o a una movida norteamericana que causara un polo de tensión internacional.

Además, con el gobierno cubano la dirección de la URSS tenía un nivel de compromiso importante, pues había sido anteriormente un aliado por excelencia en muchas jugadas políticas en las que Cuba incluso sacrificó o dejó de obtener ganancias importantes para mantener sus relaciones con Moscú.

Pero tal vez el factor más importante en estas ecuaciones haya sido la posición geoestratégica y política de Cuba ante Estados Unidos y América Latina como símbolo de la presencia soviética y de sus intereses en estas regiones, que sólo fueron parcialmente abandonados por la política soviética a fines de 1989. Claro que, con la "revolución" en las relaciones soviético-norteamericanas y los bruscos cambios de los patrones ideológicos en la URSS, ya para 1990 la Isla dejó de tener este valor ideológico, político y, en menor medida, militar.

Tampoco hay que olvidar que ese nivel de relación tan estrecha implicó la creación de intereses y grupos que mantuvieron su inercia, actuación e intereses autónomos en el panorama político de la URSS. Hasta agosto de 1991 era *vox populi* que tanto los militares como los cuadros políticos del Partido Comunista de la Unión Soviética (PCUS) y los dirigentes de la economía central eran partidarios enérgicos de no hacer concesiones en el tema cubano. Era el llamado *lobby* cubano en Moscú.

En esta etapa la actitud hacia Cuba se convirtió en un *issue* político doméstico en el panorama republicano y soviético. Más allá de lo que realmente representaba como asunto de política exterior, lo que se ventilaba eran las grandes disputas políticas e ideológicas entre las fuerzas contendientes. Los "conservadores" defendían a Cuba como asunto ideológico propio y los "liberales" en el parlamento y el

5

gobierno la veían como un estado totalitario, un remanente del propio pasado soviético y un gasto económico y político insoportable. La ventaja, como en todo, la fueron paulatinamente tomando los liberales, amparados en sus posiciones en los medios masivos de difusión, quienes desataron, a partir de 1989, violentas campañas contra las relaciones con Cuba.

Desde el punto de vista económico, los intereses soviéticos durante la *perestroika* fueron siempre más abiertos. Según las tendencias descritas anteriormente, desde casi 1989 el Moscú oficial manifestó su interés en hacer la cooperación más "ventajosa", dejando claro que estaban a punto de desaparecer las relaciones especiales que anteriormente existían.[2] No obstante, siempre se evidenció el interés y la voluntad política de mantener los vínculos económicos con

---

[2] Cuyos parámetros eran: base quinquenal de los acuerdos; ejecución entre los órganos centrales estatales de los dos países; precios al azúcar, níquel y cítricos ajustados o relaciones basadas en el rublo transferible; cobertura del desbalance comercial con créditos; concesión de créditos gubernamentales para el desarrollo de determinadas ramas productivas en Cuba, entre otras características. Si bien las relaciones eran más ventajosas para Cuba que las que hubiera desarrollado con cualquier país capitalista, de ninguna manera se debe entender todo este gran paquete sólo como "ayuda" o "subsidio" soviético. En primer lugar, porque nadie compra en el mundo 4 millones de toneladas de azúcar al precio del mercado mundial. En segundo, porque las mercancías soviéticas que Cuba estuvo comprando en rublos a elevados precios no se pueden comparar con la calidad regular en el mundo, al igual que las fábricas y objetos de obra construidos en el país. En tercer lugar, porque no es lo mismo un rublo que un dólar (para no hablar del curso actual). Y, en cuarto, porque durante los últimos años Cuba estuvo comprando el petróleo a precios del mercado mundial. Está claro, sin embargo, que los créditos comerciales en condiciones ventajosas, la cooperación restante, pero sobre todo la ayuda militar, sí constituían elementos de ayuda para el país.

el país. La isla suministraba, y suministra, una parte importante del consumo de níquel, cítricos y, sobre todo, un tercio del azúcar que, dado el déficit agudo de víveres en el país, representaba y representa un interés económico válido para cualquier fuerza: de derecha, izquierda, republicana, local o federal.

Por otra parte, en Cuba hay una cuantiosa inversión soviética y una deuda de unos 15 mil millones de rublos que, desde posiciones pragmáticas y por los motivos que sean, es difícil no tomar en cuenta a la hora de decidir si cancelar o no las relaciones económicas.

Después del golpe: fin de la relación especial

Pero el fracaso del golpe de estado del 21 al 23 de agosto en la URSS y la posterior evolución de los acontecimientos marcó un cambio cualitativo en todas estas variables que apuntaban en la dirección del mantenimiento de ciertas relaciones y de su evolución paulatina. Se impusieron los factores y contratendencias que se movían hacia una reducción brusca de los vínculos, sobre todo políticos y económicos, en especial con Rusia.

La propia URSS se desintegró. El PCUS fue disuelto por decreto. Todas las repúblicas proclamaron que habían dejado de ser socialistas. En Rusia llegó al poder la restauración capitalista, aliándose, al menos en la retórica, a los Estados Unidos. La economía entró a la fase del "supercaos", pronosticándose una caída del producto interno bruto de alrededor del 17%, para no hablar de ramas específicas como la producción de petróleo que caerá, según los pronósticos, de cerca de 600 millones de toneladas en 1986 a aproximadamente 460 millones en 1992, por lo que resultará difícil su exportación.

Todo esto resultó traumático para las relaciones soviéti-co-cubanas. Según las propias declaraciones de Yeltsin y de otros funcionarios rusos, el país ha dejado de considerarse como "amigo", poniéndolo al nivel de las relaciones norma-les que existen con otros estados como Albania o Etiopía, por ejemplo.

Por otro lado, está claro que de la escena no sólo desaparecieron las figuras políticas, militares o de la econo-mía planificada que eran partidarias de las relaciones con Cuba (o el llamado *lobby* cubano), sino que las instituciones que pudieran mostrar interés han sido barridas, sobre todo el PCUS y los militares o la KGB, debilitados de forma impre-sionante.

Los "amigos" de Cuba en la URSS hoy día, y eso porque les interesa, son las Repúblicas y empresas, las cuales no tienen con quien comerciar (sólo el 15% de la producción soviética es competitiva en el mercado mundial) y necesitan o del mercado cubano o de exportaciones y servicios de la isla. Es conocido, por ejemplo, que la fábrica de camiones KAMAZ trueca piezas de repuesto por servicios médicos cubanos.

Sin embargo, aún persisten algunos intereses económi-cos republicanos por la dependencia del níquel, los cítricos, y sobre todo del azúcar.[3] Hay que apuntar que para los líderes de las emergentes repúblicas, a diferencia de Rusia, el caso Cuba presenta elementos interesantes que explican la rápida relación política establecida y la firma de convenios y acuer-dos comerciales. Por un lado, es un tema donde pueden distanciarse del "nuevo centro" y mostrar su independencia en política exterior. No se debe olvidar que muchos de los nuevos dirigentes republicanos provienen del mismo apara-

---

[3] Hace poco hubo serios disturbios en Moscú por la escasez de azúcar en el mercado doméstico.

to ex-soviético y la mayoría ha tenido anteriores contactos con Cuba, lo que de alguna manera también allana la relación. De hecho, Cuba ha firmado acuerdos para el establecimiento de relaciones diplomáticas y económicas con la mayoría de las repúblicas ex-soviéticas, incluyendo a las más importantes como Ucrania, Kazajastan, Bielorrusia y Rusia.

Pero no se puede negar que, como consecuencia del golpe, las relaciones con Rusia, con la que Cuba tenía cerca del 80% del intercambio de la ex-URSS, se deterioraron rápidamente, sobre todo a nivel político y económico.

Esto se debe a muchos factores: el cambio de régimen en Rusia; el furor anticomunista en boga; la legitimidad de Estados Unidos, que no se ve ya como "enemigo" sino como aliado; las acciones del "exilio" cubano en Moscú; las imposibilidades económicas de la República; la falta de experiencia de los nuevos gobernantes; la atmósfera enrarecida que se ha creado entre los dos gobiernos, entre otras causas.

El primer aldabonazo contra Cuba, después del golpe, lo dio Yeltsin en las declaraciones a la CNN en septiembre de 1991, donde declaró que las tropas soviéticas se retirarían paulatinamente de Cuba. Pankin, el ex-Ministro de Relaciones Exteriores, lo completó argumentando que las relaciones con la Isla han perdido toda racionalidad ideológica y que serán como con cualquier estado extranjero. Durante la visita de Baker en septiembre de ese mismo año, sin consultar con las autoridades de la Isla, los soviéticos anunciaron la retirada del contingente militar de forma unilateral, con "esperanzas" de que ello hiciera que Estados Unidos tomara medidas recíprocas. Más allá de la coyuntura, esta medida marcó varias ecuaciones estructurales en la nueva política:

1. Fue una evidente concesión a Estados Unidos, pues podía haberse hecho la declaración de otra forma y en otro lugar.

2. Envió una señal clara a las autoridades de la isla de que no se mantendría la calidad y modalidad de los vínculos anteriores, pues no se consultó con ellos. Era la señal de que ya había finalizado el compromiso político especial con la isla.

3. El paso, si bien modesto en términos de la seguridad de Cuba, constituyó el primer eslabón de una cadena de concesiones que abarcaría la ayuda militar y en general todas las relaciones militares con el país.

La respuesta cubana no se hizo esperar y en un editorial *Granma* apuntó que sólo estaría dispuesta a aceptar la retirada del contingente si paralelamente se negociaba la retirada de la Base Naval de Guantánamo. Las negociaciones no han concluido, pero parece que la retirada soviética es inevitable.

Después de este encontronazo inicial, las relaciones prosiguieron su inercia en 1991 y ya para 1992 se evidenció un distanciamiento significativo,[4] quedando del anterior vínculo con Rusia un precario intercambio de azúcar por petróleo y algunos otros rubros de colaboración, destacándose aún la presencia militar en el país, sobre todo en la Base de Escucha de Lourdes que parece que les reporta intereses estratégicos a los rusos.[5]

---

[4] Hasta ahora la mejor exposición que he visto sobre la política de Rusia hacia Cuba está en la entrevista del jefe de la Sección de Cuba del MINREX de Rusia, A. Ermakov, al periódico *Izvestia* en febrero de 1992. El artículo en ruso, curiosamente, se denomina "Pochom sevodnia prizak komunisma" (¿Por dónde anda el espectro del comunismo?).

[5] En entrevista de prensa A. Ermakov señaló al *Miami Herald*, que "Rusia no tiene planes de abandonar su base de escucha en Lourdes o su punto de submarinos en Cienfuegos". Reportado por NOTIMEX el 19 de enero de 1992.

Sin embargo, en la arena internacional han surgido varios enfrentamientos entre ambos gobiernos, siendo el más notorio el escenificado por la votación de Rusia a favor de una condena a Cuba en Ginebra por presuntas violaciones de derechos humanos en la isla. También han ocurrido otros incidentes en foros multilaterales y el motivado por la recepción que han ofrecido figuras del gobierno ruso a los cabecillas del exilio cubano en Moscú.

Si bien existe aún cierta incertidumbre en las relaciones ruso-cubanas ocasionadas por la tempestuosa evolución de la situación doméstica de Rusia y su perspectiva de inserción internacional, y por su relación con Estados Unidos y el interés en América Latina; no es menos cierto que la relación especial que figuró hasta 1991, en general la cercanía cubana a Rusia y viceversa, es cuestión del pasado. Se mantendrán, optimístamente hablando, relaciones económicas explicadas por la interconexión económica anterior, aunque también van a depender de la evolución de las economías en ambos países.

Impacto en Cuba del fin de la URSS

Este paulatino desenganche soviético de Cuba durante la *perestroika* y, finalmente, la ruptura que se produjo con la desaparición del estado soviético incidieron en todas y cada una de las esferas de la relación a medida que transcurría el tiempo. Inicialmente la *perestroika* fue impactando negativa-mente en la esfera de las relaciones internacionales de Cuba. Los primeros síntomas se dan cuando los soviéticos, basán-dose en la "nueva mentalidad", comenzaron a implementar una serie de jugadas que, como mínimo, afectaron el disposi-tivo de relaciones internacionales de la Revolución Cubana.

Ya a fines de 1988, y ante la visita de Gorbachov a Cuba, Fidel Castro reseñaba los problemas surgidos en la guerra de Angola en 1987 como consecuencia de movidas militares erróneas que pusieron en peligro la seguridad del país y del propio contingente cubano. Esto implicó un esfuerzo bélico considerable, que finalmente redundó en la victoria de Cuito Cuanavale y la firma de los acuerdos de Nueva York.

Durante la visita de Gorbachov a La Habana, la dirección cubana expresó preocupación por lo que pudiera significar en términos internacionales la percepción norteamericana de la "nueva mentalidad" como signos de retirada soviética y moderación en el Tercer Mundo, sobre todo de cara a la firma de los acuerdos de Afganistán, Angola y las conversaciones sobre conflictos regionales. La no asistencia a las Olimpíadas de Seúl en 1988 fue también un elemento de diferencia entre Moscú y La Habana.

Sin embargo, el jalón más importante de este período lo constituyó el pronunciamiento cubano, a raíz de los hechos del 7 de diciembre en La Habana, en el que se distanció completamente de las llamadas reformas en Europa Oriental por conducir a la restauración capitalista.[6]

La inactividad soviética ante el desplome socialista, las oscuras coincidencias, la pasividad ante la invasión norteamericana a Panamá, la oposición a las políticas del Frente Farabundo Martí para la Liberación Nacional (FMLN) y los sandinistas, llevaron a la percepción en La Habana de que, aunque todavía se mantenía cierta relación económica y compromiso político bilateral, ya los soviéticos habían optado por priorizar en la esfera internacional sus vínculos con

---

[6] Véase Fidel Castro. "Discurso de despedida de duelo a los cubanos caídos en misiones internacionalistas", *Granma*, 8 de diciembre de 1989.

Estados Unidos en desmedro de sus ex-aliados, incluida Cuba.

La Guerra del Golfo demostró la extrema debilidad soviética y su subordinación a la línea norteamericana, reflejando para Cuba no sólo la erosión paulatina de la fortaleza de un aliado, sino la pérdida casi total del mismo.

La caída del socialismo y el estallido de la URSS ha creado un vacío abrupto para la política de alianzas y contrapesos de la Revolución. Prácticamente se ha desmoronado uno de los pilares fundamentales en el sistema de alianzas que dibujó el modelo cubano en las relaciones internacionales contra el cerco tendido por los Estados Unidos.

Aunque muchas de las acciones cubanas de política exterior tradicionalmente se hacían a pesar de los deseos soviéticos,[7] no es menos cierto que, de alguna manera, este perfil externo estaba vinculado a las posibilidades de la URSS. Una vez desaparecida ésta, junto a otras tendencias desfavorables en los escenarios específicos, se elimina uno de los espacios que posibilitaba a Cuba realizar acciones internacionales propias como la presencia militar en Africa o el involucramiento en otras zonas del mundo.

Más allá de su proyección en los foros internacionales, a través de la colaboración civil y del reajuste en sus esferas de incidencia regional, Cuba ha dejado de ser un actor tan importante como lo era antes en el sistema de la *realpolitik* internacional, si bien, desde el punto de vista ideológico, moral y con algunos actores políticos y sociales, conserva cierta vigencia.

---

[7] Véase las declaraciones de Fidel Castro en la reunión de La Habana sobre la Crisis de Octubre con relación a las contradicciones entre Cuba y la URSS en América Latina en los sesenta o en Africa en los ochenta.

La desaparición y "conversión" de Rusia elimina uno de los baluartes estratégicos de seguridad político-militar con que Cuba contó durante tres décadas, y la deja expuesta y vulnerable ante la siempre persistente amenaza norteamericana. Cuenta sólo con lo propio, que es bastante, pero siempre poco. Aunque, poco o mucho, lo propio siempre ha sido lo fundamental.

El paso a formas comerciales de cooperación militar redunda en un serio reto de seguridad para Cuba, toda vez que su técnica militar moderna proviene de arsenales de la ex-URSS. Y aquí se incluye tanto la modernización periódica del armamento como las piezas de repuesto para los sistemas existentes.

Queda claro que el paso a un mundo político y estratégico unipolar a corto plazo, así como la idea de que Cuba es un remanente de la pléyade de estados "totalitarios", deja a Estados Unidos en una posición relativamente cómoda para no sólo no aflojar las presiones sobre la isla, sino para endurecerlas, sobre todo en el bloqueo económico.[8]

A esto se suma una ventajosa situación norteamericana en los órganos internacionales y la vulnerable posición cubana, objeto de una campaña sin precedentes de aislamiento ideológico y político —como se ha podido observar en las recientes votaciones de las Naciones Unidas sobre los derechos humanos. Es cierto, sin embargo, que el fracaso del modelo socialista soviético, muchos de cuyos elementos y filosofías fueron copiados en su momento en la isla, abren brechas importantes para estas campañas de aislamiento ideológico. Sobre todo de cara a la predominancia de los

---

[8] Para un estudio de la política de EE UU hacia Cuba vea Rafael Hernández. "El ruido y las nueces II, la política de Estados Unidos hacia Cuba", *Cuadernos de Nuestra América*, 18 (enero-julio de 1992).

medios occidentales en el mercado de la opinión pública y a las condiciones ideológicas que se han dado en el mundo.

Por otro lado, la caída soviética ha obligado a un rediseño de la estrategia cubana de cara al sistema internacional, tratando de reinsertarse en los consensos internacionales y regionales. De aquí el interés cubano de los últimos tiempos en establecer vínculos mucho más sólidos con los países latinoamericanos y caribeños, sobre todo en la esfera económica, como base y sostén de las relaciones políticas. A esto también se suman las consideraciones, siempre presentes en los gobernantes cubanos, sobre la integración latinoamericana, la región como espacio natural, entre otras. También pesarían los intereses latinoamericanos de no aislar a Cuba y mantener y aumentar los vínculos con el país.

Inevitablemente este reencuentro implica toda una reevaluación de las relaciones internacionales de los subsistemas aludidos, pues se trata de un actor considerable a escala regional, especialmente en el caso del Caribe. Tal vez esto explique de alguna manera los resquemores por las posibles consecuencias negativas que esta reinserción cubana pudiera representar para las pequeñas economías del Caribe, aunque, por otro lado, se abren campos propicios para la colaboración.[9]

Entrando ya en los efectos domésticos de la desaparición de la URSS, habría que señalar que sus dimensiones no sólo se refieren a las conocidas privaciones económicas, sino que tienen un carácter más complejo y sistémico. En el caso cubano, pesa con mayor fuerza aún el estado de crisis de los paradigmas y modelos que la desaparición soviética trajo consigo para todo el campo revolucionario. Y no sólo se trata

---

[9] Véase el c. 9 de Gerardo González en este volumen titulado "El Caribe en la política exterior de Cuba".

de elementos puntales (aunque no se debe ser reduccionista y pensar que el socialismo cubano era igual al este-europeo) sino de la necesidad de que se construya una visión compleja y coherente de un modelo propio.[10] Aquí entrarían aspectos que tienen que ver con la democracia, el sistema político, el ordenamiento económico, los valores y condicionamientos ideológicos, entre otros.

De alguna manera, y propiciado también (como casi todos los fenómenos apuntados) por otras variables mucho más complejas e imposibles de reducir al factor soviético, este proceso de búsqueda de cambios comenzó en Cuba a principios de la segunda mitad de la pasada década, con la llamada rectificación de errores y tendencias negativas, pero inevitablemente tuvo que alterar sus prioridades ante la avalancha negativa que desde el punto de vista económico propició el desbarajuste y caída este-oriental primero, y soviética después.

Casi desde un principio, la dirección cubana se mostró cautelosa ante los cambios soviéticos y fue reacia a implementar en el país las mismas recetas soviéticas, argumentando los riesgos que pudieran traer de cara a Estados Unidos, que los errores en Cuba no habían sido los mismos que en la URSS y que muchas de las fórmulas que se estaban implementando habían traído efectos negativos en Cuba.

Sin embargo, una fase importante en la aplicación de cambios a la cubana se esbozó en el Llamamiento al Congreso del Partido, en las discusiones que siguieron y en el propio Congreso partidista. Se van a implementar reformas a la Constitución, elecciones directas al Parlamento, cambios en la modalidad de gestión económica, mayor apertura al capi-

---

[10] Véase "Resolución sobre Proyecto de Programa del PCC", en *Este es el Congreso más Democrático*, La Habana: Editorial Política, 1991.

16

tal extranjero, mayor realce a tradiciones y pensamiento autóctono, entre otras transformaciones. Aunque, como se reitera, la prioridad en el llamado "Período Especial" es sobrevivir y salir de la crisis actual.

Ha sido, sin embargo, en el plano económico, donde el impacto de la *perestroika* y de la desaparición de la URSS ha incidido más fuertemente en el país. En 1990 se dejó de enviar al país mercancías por un valor de 1000 millones de rublos, es decir, casi un 18% menos de lo que se había comprometido. De ello, casi la mitad (559 millones) era de los 3 millones de toneladas de petróleo que se dejaron de recibir. Como consecuencia, a partir de septiembre de ese año, se instauró en Cuba el "Período Especial en Tiempos de Paz".

El año 1991 fue aún más aciago para la economía cubana. A consecuencia de los acuerdos firmados para 1991, y que parecían un modelo para el futuro, se pasó a los precios del mercado mundial, logrando cotizar el azúcar cubano más o menos al nivel de la Convención de Lomé, mientras que los demás productos se cotizaron en dólares y a precios del mercado mundial. Los reajustes de precios le hicieron perder a Cuba capacidad de compra de alrededor de otros mil millones de rublos. El compromiso fue de 3,940 millones a importar por Cuba (después de severos recortes en las importaciones y dejando sólo combustibles, alimentos, materias primas esenciales y piezas de repuesto) y en particular 10 millones de toneladas de petróleo y derivados. Sólo arribó un 38% de lo necesario en otros productos, si bien, con irregularidades, llegaron aproximadamente 8.6 millones de toneladas de petróleo.[11]

---

[11] José Luis Rodríguez. "Conferencia sobre las relaciones económicas entre Cuba y la URSS", Curso de Postgrado. Centro de Estudios sobre América. 11 de febrero de 1992.

Habría que añadir que, por concepto de transportación no realizada por la flota soviética, el país tuvo que desembolsar cerca de 150 millones de dólares en 1991. En total, las importaciones cubanas, por las causas reseñadas, se acortaron en 1990 y 1991 en cerca de un 50 % comparadas con el año 1989.

Con la desaparición de la URSS, la liquidación del carácter "socialista" en las principales repúblicas, y las transformaciones sufridas por su conversión en sujetos internacionales individuales, aparecieron dificultades mayores que en años anteriores. Se elimina el elemento de voluntad política que le reportaba cierto carácter preferencial al tratamiento con Cuba, sobre todo en términos de precios, créditos, colaboración, etc.; se desintegran, y cuesta trabajo armar, los mecanismos económicos externos en cada una de las repúblicas; sigue cayendo estrepitosamente el nivel de producción en ramas necesarias para Cuba como el petróleo, cereales y alimentos.

Para 1992, sobre la base de precios estrictamente de mercado mundial para las exportaciones cubanas, sobre todo de azúcar, se firman acuerdos con determinadas repúblicas y convenios específicos para un trueque de mercancías, donde Cuba importa básicamente petróleo y otros insumos en condiciones de pérdida de alrededor de 2 mil millones de dólares en poder de compra.[12] El aspecto más importante de las relaciones con la CEI es el acuerdo firmado con Rusia para el cambio de petróleo por azúcar en el primer trimestre, con posibilidades de prórroga para plazos ulteriores. También se firman determinados contratos con Kazajastan,

---

[12] Fidel Castro. "Discurso de Clausura del Congreso de la Unión de Jóvenes Comunistas", *Granma*, 5 de abril de 1992.

Ucrania, Lituania, otras repúblicas, y con empresas interesadas en dar salida a su producción en el mercado cubano.

Pero el impacto económico de la desaparición de la URSS no sólo se limita a estos aspectos más conocidos, sino que tiene que ver con el desfase tecnológico abrupto de la mayoría de las producciones cubanas que funcionaban con modelos soviéticos. De aquí la consideración del segundo bloqueo.

La desaparición soviética ha puesto a la orden del día problemas estratégicos para la economía y la sociedad cubana que tienen que ver con los pilares sobre los cuales descansará su rumbo prospectivo y su ordenamiento, toda vez que está compelida a reinsertarse de forma novedosa en el sistema internacional. Esto atañe sobre todo a su subsistema económico y al mercado mundial.

Esto se vincula con los programas de mediano y largo plazo que se priorizarán, los mercados que debe buscar y mantener (pues no es de esperar una desconexión completa de la CEI) y, sobre todo, los mecanismos de gestión y producción que les permita un nivel de productividad adecuado, con los costos y readecuaciones que implican para la esfera social, política e ideológica.

En este momento, sin embargo, lo realmente presionante para la coyuntura cubana es la necesidad de adquirir, con los recursos de exportación disponibles, el mínimo de petróleo y alimentos necesarios para mantener funcionando la economía y conservar el consenso social y político.

También valdría la pena abundar en el efecto político doméstico que los acontecimientos soviéticos tuvieron en la isla. Entre 1986 y 1990, en el país, sobre todo entre los círculos del Partido, Estado y de sectores profesionales –mayoritariamente jóvenes– se dio un proceso de simpatía con las medidas que transcurrían en la URSS en cuanto que dirigidas al "perfeccionamiento" del socialismo y a superar errores que también se daban en el país. Aunque aquí habría que distinguir a los que se pronunciaban por incluir una agenda similar a la soviética (desatendiendo hasta cierto punto las especificidades del modelo nacional) de los que tenían una visión más moderada, pero en la misma línea.

El parteaguas que significó la caída de Europa del Este polarizó las posiciones, quedando una mayoría de las capas mencionadas desilusionadas por los efectos de las "reformas": restauración capitalista en la Europa Oriental, y caos y anarquía en la Unión Soviética.

A nuestro juicio, este factor, unido al fortalecimiento del consenso nacionalista que se observó a raíz de las protestas por la invasión a Panamá y por las amenazantes maniobras militares de Estados Unidos en el primer trimestre de 1990, creó las condiciones políticas —en la lógica de la dirección del país— para retomar con más bríos la campaña de "rectificación" que de alguna manera había perdido tiempo e intensidad.[13] Se promulga el Llamamiento al IV Congreso del Partido Comunista Cubano y se realizan discusiones amplias en todo el país acerca de los diferentes puntos de la agenda.

Ante la emergencia de las calamidades económicas reseñadas a partir de 1991, el proceso de cambios adquiere nuevas connotaciones, otorgando prioridad a las consideraciones de sobrevivencia y estabilidad. Se celebra el IV Congreso del Partido en octubre de 1991 en el que se toman las ya mencionadas modificaciones.

---

[13] Véase el "Comunicado sobre el Pleno del Comité Central del PCC" de febrero de 1990.

La crisis económica ocasiona una nueva polarización política. Por un lado, una mayoría[14] percibe la situación coyuntural crítica como consecuencia de factores que escapan a la voluntad del gobierno, manteniéndole su apoyo tradicional. Y, por otro, sectores que achacan la causa de los problemas a la dirección del país, situándose de hecho en una oposición política activa y en muchos casos pasiva. En este grupo se incluyen los llamados "grupúsculos" (cuyo cordón umbilical los ata al exilio cubano y a Estados Unidos); los que en su momento no se desligaron del expediente de *perestroika*; así como las llamadas por el gobierno "partes blandas" que se resienten ante el empeoramiento de las condiciones de vida y pasan a una contestación, políticamente pasiva, ante la inviabilidad del modelo, según ellos, al desaparecer la URSS.

La dirección, por su parte, pone el énfasis en la necesaria unidad de toda la nación para tratar de salir de la crisis impuesta, priorizando más la concentración en los esfuerzos que se debían hacer que en las desavenencias político-ideológicas. Asimismo, manifiesta su disposición a no ceder ante presiones de ningún tipo, ni de fuera ni de dentro. En caso de protestas políticas de los sectores reseñados se ha delineado una estrategia de enfrentamiento popular, evitando el empleo de la represión policial o castrense.

La estrategia para salir de la crisis trata de afectar lo menos posible el nivel de consumo de la población, los beneficios sociales otorgados, asumiendo una filosofía distributiva igualitaria que evite que las dificultades económicas incidan en los sectores de más bajos ingresos. En

---

[14] Desarrollo los que a mi juicio son los factores que explican este consenso, pese a la crisis económica, en Santiago Pérez, "Cuba: What Kind of Changes?", *Cuba Update*, marzo-abril, 1991.

términos económicos, diseña una estrategia emergente de sustitución de importaciones; generación de recursos exportables —como el turismo, biotecnología, derivados de la caña, entre otros—; asociaciones con el capital extranjero; programa alimentario para solventar la crisis alimentaria, entre otras medidas.

En términos globales, y a modo de conclusión, habría que señalar que, sin duda, la desaparición de la URSS ha puesto al país ante el reto coyuntural y estructural más profundo de toda su historia post-revolucionaria, similar solamente al que experimentó la nación a principios de la década de los sesenta. Inevitablemente el futuro está plagado de incertidumbres, pero también de posibilidades. La clave está en cómo realizarlas.

Capítulo 2

CUBA EN UN NUEVO MUNDO*

Jorge I. Domínguez

Cuba fue un actor significativo en el escenario mundial durante la Guerra Fría. Para principios de los años noventa, el papel internacional de Cuba se redujo al de un país extraordinariamente aislado y pequeño que lucha por sobrevivir. El gobierno cubano, para enfrentar estas nuevas circunstancias, ha redefinido su política exterior. Excepto por las persistentes relaciones de adversario con los Estados Unidos de Norteamérica y aspectos residuales de las relaciones ruso-cubanas, la actual política exterior de Cuba no es muy diferente de la de otras islas caribeñas.

La familiar Guerra Fría y su final

Mientras los Reagan y los Gorbachev bailaban en la Casa Blanca en diciembre de 1987 para celebrar el fin de la Guerra Fría en Europa, en ese mismo momento miles de tropas

---

* Traducido del inglés por José Medina Comas.

cubanas cruzaban el Océano Atlántico para levantar el sitio de Cuito Cuanavale en el Sur de Angola por fuerzas militares de Africa del Sur. Este episodio expresa bien muchas particularidades del papel de Cuba en el sistema internacional desde la consolidación de su régimen comunista en los inicios de los años sesenta hasta el final de los años ochenta.

1. Los líderes cubanos tomaron la decisión por su cuenta y, en gran medida, la implementaron independientemente de la Unión Soviética. Cuba no hubiera podido actuar, no obstante, sin el apoyo —militar, económico y político— de los soviéticos.

2. Las acciones de Cuba tuvieron importantes repercusiones en las relaciones ruso-americanas, aunque en este caso, en particular, condujeron a una colaboración para solucionar un conflicto surafricano.

3. El desplazamiento militar de Cuba alcanzó el fin que se propuso, a saber, repeler la invasión de Angola por Africa del Sur. Pero el despliegue de fuerzas militares cubanas tuvo otros beneficios no anticipados: la independencia de Namibia y el acelerado deshacerse del régimen de *apartheid* en Africa del Sur. El uso de la fuerza funcionó.

4. El éxito de Cuba reafirmó su sitial como actor internacional significativo, demostrando su confianza en sí misma y su capacidad.

5. El gobierno norteamericano estaba irritado y molesto con el éxito internacional de Cuba aun cuando en ese caso hubo beneficios significativos para la política exterior de Estados Unidos: el gobierno surafricano comenzó a prestar más atención a los esfuerzos de Estados Unidos por resolver este conflicto luego que las tropas cubanas golpearon a las fuerzas armadas de Africa del Sur.

Estos cinco temas recurrieron frecuentemente desde los inicios de los sesenta hasta finales de los ochenta, pero cambiaron de maneras importantes a partir de 1989. Cuba es todavía, sin duda alguna, independiente de la Federación Rusa, pero también ha perdido el apoyo ruso esencial para sus ambiciosas políticas extranjeras y domésticas. Las acciones cubanas continúan afectando las relaciones Estados Unidos-Rusia, pero ahora principalmente porque el gobierno norteamericano desea borrar todo indicio de apoyo externo al gobierno cubano. El gobierno cubano permanece tan convencido como siempre de la necesidad y utilidad de la fuerza militar para obtener metas importantes, pero Cuba no puede seguir reponiendo sus inventarios de armas sin costo alguno ni tampoco tiene dinero suficiente para armarse en los mercados mundiales. La inseguridad resultante promueve la percepción del gobierno cubano de que el país es una fortaleza asediada. Sin la Guerra Fría y sin los recursos que la Unión Soviética había hecho accesibles, Cuba no es ya un actor importante en el escenario internacional. En efecto, lo único que aún permanece del período de la Guerra Fría es la continua hostilidad del gobierno norteamericano hacia el gobierno cubano.

El fin de la Guerra Fría y la desaparición de la Unión Soviética, por lo tanto, han privado a Cuba de muchas de las oportunidades y de los recursos que le permitían llevar a cabo una política exterior global. Sin la competencia americano-soviética en la Guerra Fría, Cuba carece de la protección y los recursos para colocar sus fuerzas en el extranjero. Sin las guerras civiles vinculadas a la competencia de la Guerra Fría, hay menos insurgencias que apoyar y menos estados revolucionarios que deseen arriesgarse a pedir la asistencia de tropas cubanas.

Como resultado, cientos de miles de tropas cubanas que habían combatido gallarda y, a menudo, eficazmente en los campos de batalla del Cuerno de Africa y Angola han sido repatriadas. Decenas de miles de estudiantes y trabajadores huéspedes cubanos, antes localizados en la antigua Unión Soviética y en otras naciones de Europa del Este anteriormente comunistas, han regresado a casa. Las misiones de consejeros militares cubanos han regresado desde países cercanos y lejanos. La asistencia civil a muchos países tercermundistas se ha reducido en escala. El apoyo cubano a las insurgencias en el mundo entero ha terminado virtualmente.

Algunos de los antiguos recursos de Cuba se han convertido en factores negativos. Por ejemplo, si Cuba aumentase su apoyo hacia algunas de las insurgencias existentes en América Latina, se reducirían los niveles de apoyo, ya modestos, que ahora recibe de varios gobiernos latinoamericanos. Si Cuba desplegara unilateralmente sus fuerzas armadas en el extranjero para ayudar a uno de sus aliados en peligro (de enemigos internacionales o de insurrección doméstica), correría el riesgo de una acción de interposición o desquite de los militares norteamericanos. Sin embargo, el gobierno cubano se siente obligado a mantener una estructura militar grande por miedo a Estados Unidos, ahora enteramente a costa de sus propios reducidos recursos.

Además de estos importantes cambios políticos y militares, la desaparición de la Unión Soviética y de los demás países comunistas de Europa del Este ha tenido un gran efecto adverso en la economía cubana. A mediados de los años ochenta, el subsidio soviético solamente al azúcar cubana y para financiar el déficit comercial bilateral cubano-soviético llegó a ser equivalente a un sexto del producto bruto de Cuba (el otro subsidio más importante lo era el continuo intercambio de grandes cantidades de armamento sin costo alguno); el subsidio a la exportación de azúcar y al déficit comercial de los países comunistas europeos constituía un dos o tres porciento adicional del producto bruto.

Fidel Castro le informó al pueblo cubano, a principios de septiembre de 1992, que Cuba había perdido cerca del 70 porciento de su poder adquisitivo internacional (en dólares corrientes de 1992) como resultado de la pérdida de los subsidios; es decir, los que hemos mencionado y otras formas menos importantes de asistencia. Las importaciones cubanas declinaron de $8,139 millones de dólares en 1989, a unos $2,200 millones de dólares en 1992. Castro continuó explicando las consecuencias catastróficas de esta contracción en las importaciones para casi todo tipo de actividad económica. Esta implosión redujo marcadamente los abastos de comestibles y vestimenta importados, y de combustible para la transportación pública y privada, afectando por lo tanto el nivel de vida del pueblo.

Cuba permanece virtualmente tan dependiente de las exportaciones de azúcar como lo ha sido a través de toda su historia moderna: más del setenta por ciento de sus exportaciones vienen del azúcar. Sin los subsidios soviéticos, el precio en el mercado mundial viene a determinar la mayor parte de los precios internacionales de venta de Cuba. Desde 1982 el precio del mercado mundial ha promediado entre $0.08 y $0.09 dólares por libra, pero se redujo a casi la mitad de ese nivel en 1985 y volvió a subir a casi el doble de ese nivel en 1989. Mientras los subsidios soviéticos al precio del azúcar se recortaban en 1990 y 1991, el precio en el mercado mundial del azúcar caía de su más alto nivel de 1989.

En resumen, una vez concluida la Guerra Fría, Cuba perdió buena parte del sostén de su política exterior. Sus principales aliados internacionales habían sido derrotados o habían desaparecido. Su principal enemigo internacional aparentemente había triunfado. Su basamento económico estaba hecho trizas, sus productos industriales eran poco competitivos internacionalmente. Su papel en el mundo se encogió, para volver a ser nuevamente tan solo un pequeño país en el Caribe.

La transición a un nuevo rol internacional

Heredero de una revolución social, el régimen político cubano empezó los noventa abatido y debilitado, pero no doblegado. Cuando los regímenes comunistas caían por todos lados y había quienes en los Estados Unidos apostaban al momento de la caída de Fidel Castro, el ritmo del cambio político en Cuba —a pesar de algunas innovaciones— permanecía lento. Solamente en Cuba y en el este de Asia han sobrevivido los regímenes comunistas, y sólo en Cuba y Corea del Norte han tratado de retener las estructuras políticas casi intactas. No obstante, el gobierno cubano adoptó cambios bastante significativos en política económica exterior para ajustarse al nuevo mundo.

Antes de describir estos cambios, sin embargo, es necesario puntualizar ciertas continuidades importantes: en conjunto, las exportaciones cubanas a los antiguos socios de economías de mercado han continuado, aun cuando sus exportaciones a los socios comunistas se desplomaron. Si se usa 1988 como año base (el año anterior al colapso de los regímenes comunistas de Europa del Este) y solamente los países a los que Cuba exportaba no menos de $50 millones de dólares o de los que Cuba importaba no menos de esa cantidad: entre 1988 y 1991, las exportaciones cubanas a España, los Países Bajos y Japón se incrementaron y las exportaciones a Canadá se duplicaron; las exportaciones a Francia e Italia se redujeron un tanto y a Alemania cayeron marcadamente. En conjunto, las exportaciones cubanas a esos países crecieron un poco. Lo mismo ocurrió con las importaciones. Las importaciones de Francia, los Países Bajos y el Reino Unido declinaron un poco, y las de Canadá y Japón, y quizás Alemania, se redujeron marcadamente. Por otro lado, ocurrieron aumentos sustanciales en las importaciones de Italia, España, Méjico y Brasil. Los arreglos cubano-soviéticos de intercambio de petróleo a través de Venezuela se mantuvieron. En general, las importaciones cubanas de estos países con economías de mercado también se incrementaron ligeramente.

La capacidad de Cuba para comerciar con países que no hubiesen estado bajo el régimen comunista, por lo tanto, no se limitó mucho en los años noventa. Interesantemente, el comercio exterior cubano empezó a parecer más "normal" para un país caribeño. Casi ningún país caribeño, después de todo, comercia con Rumanía, pero sí lo hacen con Canadá. La reducción en el comercio de Cuba con los países comunistas le ha dado a Cuba un perfil de socio comercial más semejante al de sus vecinos caribeños —con la obvia, pero importante, salvedad de que tiene un comercio muy limitado con los Estados Unidos.

El Presidente Fidel Castro inauguró dos nuevos hoteles en mayo de 1990 en la playa de Varadero: "Esta es la primera vez durante la Revolución que hemos inaugurado un proyecto con... capitalistas extranjeros. Esto es una experiencia singular". La razón era clara, lo único nuevo era que le hubiera tomado treinta años llegar a la siguiente conclusión: "Nosotros no sabemos cómo manejar un hotel, cómo manejar el turismo, y... cómo hacer dinero del turismo..." El número de turistas extranjeros que Cuba recibe se ha incrementado, de hecho, cada año durante los ochenta, desde cerca de 100,000 en 1980, hasta un poco más de

200,000 en 1987, 270,000 en 1989 y 380,000 en 1991. En 1991, el ingreso bruto del turismo llegó a cerca de $400 millones de dólares.

La promoción del gobierno cubano de la industria del turismo mediante empresas mixtas con firmas extranjeras representa una doble revisión: aceptar el turismo y aceptar la inversión privada extranjera. Poco después de la victoria revolucionaria, el gobierno cubano les dio conscientemente la espalda a muchos aspectos del turismo como industria, la cual se describía como repulsiva y inaceptable, particularmente el juego conectado al crimen organizado, la prostitución y una mentalidad servil. La decisión de buscar una salvación en el sector turístico fue, después de todo, sorprendente. Aun cuando el crimen organizado no tenga cabida y el juego no sea legalizado, han retornado algunos aspectos del turismo que el gobierno encontraba repulsivos. La prostitución ha reaparecido. Un dato nuevo fue el permiso del gobierno cubano para que el equipo de Playboy entrara a Cuba; funcionarios del gobierno identificaron y persuadieron a algunas mujeres cubanas para que posaran desnudas para la revista. Esta nueva versión de la planificación central es un cambio significativo de la lucha heroica en guerra. El gobierno cubano ha tratado de crear enclaves turísticos y limitar el contacto entre cubanos y extranjeros para reducir algunos de los aspectos posiblemente adversos del desarrollo turístico. No obstante, como se hizo evidente, especialmente en mayo de 1992 durante las discusiones del Sexto Congreso de la Unión de Juventudes Comunistas, hay quienes entre la juventud se han destacado por lo que el Informe del Congreso llama "conductas impropias" (ejemplo, "mercado negro" de divisas y bienes, prostitución, etc.). Más preocupante aún era que hasta miembros del Partido Comunista participaron de esta conducta. Las barreras al contacto con extranjeros y turistas resultaron ser permeables. Igualmente preocupante para los líderes del régimen era el malestar entre los cubanos por el arreglo que discriminaba contra ellos dentro del sector turístico: algunas cosas como facilidades y servicios no estaban al alcance de los cubanos si no eran acompañados por un extranjero.

El régimen estaba arriesgando su apoyo político cuando trataba de corregir sus problemas económicos. Como miembro del Buró Político, Carlos Lage lo expresó así: "Hay gente que cuando se confronta con la necesidad nacional de dar prioridad a los servicios del turismo para extranjeros, se molestan y enojan". Lage argumentó que Cuba tenía que aceptar "el costo social y político" con el propósito de obtener divisas extranjeras y crear trabajo para los cubanos.

El segundo cambio importante fue la bienvenida al capital extranjero para que hiciera inversiones directas. En octubre de 1991, el Presidente Fidel Castro le explicó al IV Congreso del Partido Comunista que su motivación era enteramente "pragmática", añadiendo: "¡Todos los hoteles pueden ser nuestros! pero, ¿de dónde podríamos sacar el dinero?". Insistió que no intentaba cambiar la totalidad del modelo económico-político de planificación central y de la propiedad de los bienes de producción. Pero, de hecho, en este mismo discurso se señaló la magnitud del cambio en la política.

Para fines de 1991, el gobierno cubano había dado la bienvenida a la inversión extranjera en, virtualmente, todos los sectores de la economía de cubana, no meramente el turismo, siempre y cuando hubiese una ganancia de divisas fuertes para Cuba. La inversión extranjera fue nuevamente admitida en la agricultura y la industria, y aun en la perforación petrolera marina, bajo contratos arriesgados. El Presidente Castro señaló que una empresa conjunta típica estaba repartida en dos partes iguales, pero su gobierno estaba dispuesto a permitir la propiedad de más del 50% del capital en un proyecto. Para atraer al capital extranjero, señaló que la inversión completa se podría recuperar en cerca de tres años —una alta tasa de ganancia, aun cuando los inversionistas admitían estar incurriendo en altos riesgos políticos por las posibles acciones hostiles del gobierno de los Estados Unidos. Para un régimen comunista que se fundó, en parte, sobre la expropiación de la propiedad privada extranjera, esto resultaba una innovación política significativa.

En los primeros meses de 1992, el economista cubano José Luis Rodríguez estimaba que cerca de 60 de los proyectos de inversión extranjera estaban ya operando, la mitad de ellos era en turismo, y el resto en diversos sectores. El valor total de las inversiones era de entre $400 y $500 millones de dólares (excluyendo un posible proyecto de inversión canadiense en niquel). Como ocurrió con el turismo, así también aconteció con la inversión privada extranjera: algunos cubanos llegaron a pensar que el régimen estaba "vendiendo el país."

El efecto neto de estos cambios de política en turismo y en la inversión privada extranjera es hacer la política exterior cubana más parecida a la de una nación caribeña. La mayor parte de los países caribeños no envían tropas a combatir en el desierto de Ogadén ni tienen consejeros militares en Brazzaville, pero sí reclutan firmas multinacionales para administrar sus hoteles y promover la exportación de productos industriales, agrícolas y minerales. La nueva estrategia cubana de desarrollo económico no está indisolublemente vinculada a un régimen socialista, y puede permitir que sobreviva el presente régimen, o puede convertirse en la política embrionaria que podría ser implantada con más ímpetu por un régimen posterior.

El próximo paso para convertir a Cuba en un país "normal" del Caribe ha sido el completo retiro soviético de Cuba. En el otoño de 1991, el presidente soviético Mikhail

Gorbachev anunció unilateralmente el retiro de Cuba del personal militar soviético. Las negociaciones prosiguieron por un año. Cuba puso objeciones al principio por no haber sido consultada sobre el retiro de las tropas, e indicó que tan sólo un retiro simultáneo de los Estados Unidos de la base naval de Guantánamo podría justificar la retirada de las tropas rusas; al final, no obstante, esas objeciones se engavetaron. En septiembre de 1992, Rusia y Cuba aceptaron que todas las tropas soviéticas remanentes se retirarían para mediados de 1993.

Cuba todavía no es un país normal del Caribe por varias razones. Dos sobresalen: las relaciones residuales con Rusia y la naturaleza de las relaciones cubano-norteamericanas. El acuerdo cubano-soviético sobre el retiro de tropas cubanas rompió el tranque en las negociaciones cubano-soviéticas, coincidiendo con el fortalecimiento de los aliados políticos de Cuba dentro de Rusia. Los dos países prosiguieron con las negociaciones, parte de las cuales fueron hechas públicas en octubre, para un nuevo acuerdo comercial basado en la razón expresa de que ambos comparten muchos intereses económicos tras treinta años de colaboración íntima. Cuba reiniciará ahora sus exportaciones de azúcar, níquel y frutas cítricas a Rusia, pero al precio prevaleciente en el mercado (en contraste con el subsidio de precios que una vez fue elemento esencial en la relación cubano-soviética).

Más notable fue el anuncio de Rusia de que retendría sus instalaciones militares en la bahía de Cienfuegos y sus instalaciones electrónicas de inteligencia en Lourdes para su defensa nacional. Rusia y Cuba también iniciaron negociaciones para completar la construcción de la planta nuclear cubana también localizada en Cienfuegos. En diciembre de 1992, la empresa sucesora de Aeroflot, Russian International Airlines anunció que reiniciaría sus viajes a La Habana y Managua, y que La Habana sería su base de operaciones en

América Latina. Aunque la declaración del gobierno ruso enfatizaba la "normalidad" de las relaciones que se proponía mantener con Cuba, igualándolas a las de otras naciones de Europa Occidental, ninguna de las cuales tenía instalaciones militares o de espionaje en Cuba. Mientras éstas permanezcan, el vínculo cubano-ruso hará a Cuba algo diferente en comparación, por ejemplo, con Jamaica.

En parte por estas razones, las relaciones cubano-norteamericanas permanecen aún bastante hostiles. A principios de los noventa, la retórica de la política de Estados Unidos hacia Cuba retornó a sus orígenes: la naturaleza misma del régimen político de Cuba era inaceptable. La dificultad principal era cómo implementar esa política. En 1992, la principal innovación norteamericana con respecto a Cuba fue la adopción de la llamada Ley para la Democracia Cubana, auspiciada por el representante Robert Torricelli y firmada por el Presidente George Bush. Esta ley impone penalidades a las empresas norteamericanas con subsidiarias en terceros países que comercien con Cuba.

La ley Torricelli fue un regalo de Dios para el gobierno cubano. Podía dar evidencia palpable ante su pueblo y ante el mundo de que los Estados Unidos era un verdadero enemigo. La mayor parte del comercio afectado era de alimentos, dándole la posibilidad al gobierno cubano de acusar al de Estados Unidos de causar el hambre. Sin embargo, como Cuba podía comprar los mismos alimentos de otras compañías, el efecto en el consumo cubano debe ser mínimo.

La ley tuvo como principal resultado provocar la protesta de socios comerciales de Estados Unidos en contra de la extensión extraterritorial de la legislación de los Estados Unidos. La mayoría de estas protestas se hicieron bilateralmente. Además, el 24 de noviembre de 1992, la Asamblea General de las Naciones Unidas aprobó una resolución presentada por el gobierno cubano titulada "La necesidad de terminar el bloqueo económico, comercial y financiero de los Estados Unidos contra Cuba". La resolución expresaba preocupación sobre leyes y reglamentos que tenían un efecto extraterritorial afectando la soberanía de otros estados. Hacía un llamado a los países miembros a no cooperar con las políticas de Estados Unidos hacia Cuba. Se aprobó con 59 votos a favor, 3 en contra y 71 abstenciones. Sólo Israel y Rumanía se unieron a los Estados Unidos para votar en contra. Rusia y todos menos dos de los miembros de la Comunidad Europea, se abstuvieron; Francia y España, así como Canadá, China y todos los grandes países de América Latina votaron afirmativamente (excepto Argentina y Perú que se abstuvieron).

Esta victoria internacional recuerda el continuo apoyo al gobierno de Cuba de buena parte de la comunidad internacional, especialmente entre el Movimiento No Alineado, anteriormente presidido por Cuba, y en América Latina. Esto subraya la destreza que los diplomáticos cubanos han demostrado en múltiples ocasiones en foros internacionales. Pero esto no hubiera sido posible sin el apoyo ingenuo del gobierno de los Estados Unidos.

La principal respuesta cubana al gobierno de Estados Unidos es resistir cualquier demanda que provenga de Washington. Junto con esta insistente y reiterada visión se expresa que Cuba está disponible para discutir cualquier asunto con los Estados Unidos sobre la base de igualdad soberana, lo cual implicaría el pronto desmantelamiento del embargo económico estadounidense. El gobierno cubano no dice, sin embargo, qué está dispuesto a hacer para satisfacer a los Estados Unidos. El Presidente Fidel Castro ha dicho a menudo que Cuba no debe ceder ni una pulgada, pues el gobierno norteamericano típicamente incrementa sus demandas; esta observación sugeriría que el gobierno cubano espera que los norteamericanos se acomoden a sus preferencias, y no al revés. Los líderes cubanos pueden razonablemente argumentar que todos los asuntos importantes en la disputa entre Cuba y Estados Unidos —exceptuando uno— se han resuelto a satisfacción de los norteamericanos. Ya no quedan tropas cubanas en Angola o Etiopía; apenas queda personal militar y pocos civiles cubanos (en su mayoría personal médico) en Nicaragua. La guerra civil salvadoreña ha llegado a su fin y aún gobierna el régimen apoyado por los estadounidenses. La ayuda cubana a insurgencias se ha evaporado. El acuerdo ruso-cubano es una mera sombra de lo que una vez fuera la alianza soviético-cubana. Los términos cubanos para la inversión privada extranjera son muy aceptables para muchas compañías.

Tan sólo la naturaleza misma del régimen perdura. Sobre esa demanda por una rendición, el presidente Fidel Castro ha dicho una y otra vez, que prefiere morir luchando antes que claudicar, de pie, solo, desafiante aún, ahora como en las décadas anteriores, como según él lo han hecho siempre los cubanos al enfrentar imperios extranjeros. La dificultad con el tranque cubano-norteamericano es tan sólo eso: un tranque que impide que cualquiera de los bandos alcance sus metas.

Respuestas políticas

Para Cuba una estrategia de sobrevivencia y resistencia puede templar el espíritu y preservar la dignidad nacional, pero definitivamente le augura un difícil futuro. No le ofrece esperanza alguna excepto las lágrimas y el sudor, y quizás la sangre. Las perspectivas del turismo y otras actividades económicas en las que los cubanos han puesto su esperanza parecen pobres a menos que la relación cubano-estadounidense mejore, removiendo de paso los obstáculos que esa hostilidad pone a la colaboración entre Cuba y los Estados Unidos, o a la reincorporación de Cuba a la economía global.

El espacio político de Cuba permanecerá muy reducido en el futuro previsible. Los principales gobiernos de América Latina, que se constituyeron en el Grupo de Río, han procurado proteger la soberanía cubana desde 1991, pero también empujar a Cuba hacia reformas políticas domésticas. Las relaciones de Cuba con América Latina no han de mejorar mucho mientras no ocurra una apertura política mayor en Cuba. Las relaciones comerciales de Cuba con los países europeos, Canadá y Japón pueden permanecer al mismo nivel de principios de los noventa, pero eso no ha de poder rescatar a Cuba de la estagnación económica o del aislamiento internacional.

Las relaciones económicas y políticas cubanas con China también han mejorado mucho. Las relaciones chino-cubanas se habían deteriorado a mediados de los sesenta en parte por razones bilaterales, y en parte porque el gobierno cubano se alió al soviético en medio de las disputas chino-soviéticas de esa época. Para fines de los setenta, Cuba también se opuso a la orientación China hacia políticas económicas basadas en el mercado. Durante los ochenta, las relaciones chino-cubanas mejoraron nuevamente, especialmente mientras la *perestroika* de Gorbachev ganaba fuerza; Cuba llegó a ver a China como el régimen comunista más resistente. El gobierno cubano apoyó el uso de la fuerza por el gobierno chino en la Plaza de Tiananmen.

Las exportaciones e importaciones chinas aumentaron por un factor de 2.5 de 1987 al 1989 cuando, en ambos aspectos, China se convirtió en el tercer socio comercial más importante de Cuba (luego de Rusia y Alemania Oriental).

Para 1991, las exportaciones de Cuba a China habían bajado moderadamente, pero China se había convertido en el mercado más importante de exportación, luego de la Federación rusa; las importaciones cubanas de China han aumentado moderadamente, colocándolas en tercera posición detrás de Rusia y España. No obstante, China ni quiere ni puede subsidiar la economía de Cuba, ni siquiera está en disposición de confrontar a los Estados Unidos por Cuba. El comercio entre Cuba y China se llevó a cabo a precios de mercado. Al final de 1992, el miembro del Buró Político Carlos Lage mencionó públicamente a China como un país cuya "experiencia" los líderes cubanos deberían "estudiar, analizar y mantener... presente".

Para los líderes cubanos, muchos de los cambios en el sistema político y económico internacional desde el fin de la Guerra Fría han sido adversos. Se ha visto afectada la capacidad de Cuba para proyectar su poder en el mundo, para resistir a los Estados Unidos y para mejorar el nivel de vida de su gente. Las oportunidades de Cuba para ejercer influencia internacional se han achicado marcadamente a medida que los conflictos entre superpotencias han terminado y las guerras civiles se convierten en paz civil. La influencia durante la Guerra Fría les pertenecía a los que tenían las armas y el coraje; en los noventa les pertenece a los que poseen dinamismo económico. Por otra parte, al comienzo de los noventa Cuba se enfrentaba a un gobierno norteamericano envalentonado y más hostil. Más aún, la caída de los regímenes comunistas y la evolución de la política en América Latina promovieron la convicción generalizada de que una democracia pluralista es la forma preferida de organización de la política doméstica, cuestionando así, aun desde América Latina, la legitimidad del régimen político cubano.

Frente a esas tendencias adversas, los líderes cubanos respondieron con una sorprendente disposición a cambiar sus políticas económicas exteriores, pero opusieron una inflexible resistencia a cambios mayores en la organización política doméstica. Aun cuando los cubanos repatriaron sus tropas y les dijeron adiós a los rusos y a otros anteriormente soviéticos, a principios de los noventa, además trataron de reprimir a los pequeños grupos de derechos humanos y a la oposición que hasta entonces habían operado con algunas libertades limitadas. El perfil económico internacional de Cuba empezó a parecerse más al del resto del Caribe, mientras que su política comenzó a incluir de nuevo protestas sobre el turismo y la venta del país. Sin sus aliados más cercanos, que literalmente desaparecieron, y con una economía poco competitiva internacionalmente, el futuro previsible de Cuba es muy negativo. Esto ha de permanecer así, no importa los cambios que se hagan en la política doméstica. Las circunstancias estructurales internacionales, que antes le brindaban recursos a Cuba, ahora han desaparecido y no parece muy probable que sean reemplazadas en la misma escala en ausencia de competencia entre superpotencias.

Si el gobierno cubano desea un mejor futuro para su pueblo, deberá correr algunos riesgos calculados. La conducta audaz nunca ha sido extraña a los líderes de Cuba; por lo tanto, la siguiente no es una estrategia impensable: confiado en que retiene el apoyo popular de muchos cubanos (o al menos de que tiene más apoyo que cualquier forma alterna de gobierno), el gobierno del presidente Fidel Castro puede escoger abrir sus políticas domésticas y sus mercados internos aún más. La apertura de mercados domésticos puede ser parecida a la de la República Popular China. La apertura de la política doméstica puede empezar mayormente dentro de los parámetros de la actual Constitución, proveyendo un espacio para la oposición para optar por un escaño electoral y para oponerse abiertamente y legalmente al poder del

Partido Comunista al liberalizarse la Ley Electoral. Mientras más de estos cambios ocurran en la política doméstica, mejores son las oportunidades de que la situación internacional de Cuba mejore.

Estas modestas alteraciones políticas seguramente no han de satisfacer a los opositores domésticos e internacionales del régimen, pero el gobierno cubano habría logrado alterar los términos del debate —un debate que a principios de los noventa ha estado perdiendo malamente a nivel internacional, por lo recalcitrante, rígido y fuera de perspectiva que se ha percibido al liderato cubano. El riesgo sería, claro está, que esta apertura se convierta en el principio del fin del régimen. El tomar el riesgo estaría basado en la confianza del régimen que retiene el apoyo popular de una mayoría efectiva de los cubanos —una confianza que puede resultar equivocada. Esta no es, por lo tanto, una opción fácil para el gobierno cubano, pero es la única que le da, al menos, una pequeña promesa de un mejor futuro bajo su poder.

Si el régimen de Cuba fuera sustituido, la naturaleza de sus relaciones con los Estados Unidos cambiaría; todas las instalaciones militares de inteligencia rusas probablemente también se irían de Cuba. No obstante, algunas características importantes de las relaciones internacionales de la Cuba comunista habrían de permanecer. La economía del país aún estaría en la bancarrota y sus exportaciones continuarían siendo no competitivas y absolutamente dependientes del azúcar. Las perspectivas de ayuda del gobierno de los Estados Unidos a una Cuba no-comunista no son buenas. El gobierno norteamericano probablemente tendrá un gran déficit presupuestario durante los años noventa, lo que le impedirá comprometer vastas cantidades de dinero en Cuba. En los principios de los noventa, el gobierno norteamericano tiene un expediente poco impresionante de asistencia a los países que han conseguido reemplazar gobiernos que en los ochenta los Estados Unidos trató de derrocar, como el de Nicaragua, o llegó a derrocar, como el de Panamá. No es muy probable que el gobierno de Estados Unidos abandone sus políticas domésticas proteccionistas para permitirle a Cuba exportar su azúcar; en los ochenta, el gobierno estadounidense endureció sus políticas proteccionistas de la industria doméstica del azúcar a expensas de los exportadores de azúcar en el Caribe y América Central. Por lo tanto, Rusia y otros países previamente comunistas se mantendrían como los mercados de exportación del azúcar de Cuba. Dentro de este escenario de cambio total, el nuevo gobierno cubano podría acelerar la búsqueda de inversión privada extranjera, continuando con las políticas del gobierno de Castro en los principios de la década de los noventa. Cuba podría expandir su mercado turístico también. Un número muy grande de cubanos desearía emigrar a los Estados Unidos para escapar del sufrimiento económico, como sucede con los vecinos de otras naciones del Caribe. Estos cubanos serían considerados migrantes económicos, no refugiados políticos. Esto no les impediría migrar —como las barreras de Estados Unidos no han detenido a los dominicanos— pero haría ilegal al nuevo migrante potencial cubano. Además, Cuba está ubicada en muchas de las rutas de tráfico ilegal de drogas desde el norte de Suramérica. Algunos de los empresarios recientemente liberados en Cuba y quizás algunos de los funcionarios mal renumerados del gobierno pudieran colaborar con los traficantes, así añadiendo otra nueva dimensión a la caribeñización de Cuba: Cuba representaría una nueva situación problemática para la lucha de Estados Unidos contra el tráfico de drogas. Si el nuevo régimen cooperara con el gobierno de los Estados Unidos para reprimir la migración y el contrabando de drogas, de hecho estaría de regreso a la política del gobierno de Castro. La única diferencia sería que la colaboración del gobierno de Castro con el gobierno de Estados Unidos sobre estas cosas era mayormente implícita, y ésta se interrumpía de cuando en cuando.

La cuestión es, por supuesto, que el margen de maniobra de Cuba en el reestructurado sistema internacional se ha venido a definir mucho más que en los últimos treinta años por su localización en el mapa y por su debilidad económica. El actual régimen de Cuba ha empezado a adaptarse a estos cambios circunstanciales; un posible régimen alterno se encontraría bajo similares limitaciones y oportunidades. Cualquier gobierno futuro de Cuba necesitaría construir sobre la política exterior que el gobierno de Castro descubrió y comenzó a implementar en los primeros años de los noventa, es decir, el retorno de Cuba al Caribe, para bien o para mal, ya que estaría sujeto a la geografía y la carga de su historia reciente. A largo plazo, sin embargo, las perspectivas de Cuba podrían ser mejores. La normalización de su política económica exterior se construye sobre algunas de las ventajas comparativas de Cuba, como lo haría cualquier gobierno cubano. En última instancia, el principal recurso de Cuba es su gente. Los cubanos son un pueblo bien educado, saludable y extraordinariamente emprendedor bajo circunstancias internas y externas extremadamente adversas. Poseen también una amplia y variada experiencia internacional. El gobierno de Castro tendrá que liberar las energías de este pueblo para lograr el crecimiento económico, repensar el carácter de la política interna y atender a las relaciones con sus vecinos en América, si desea un mejor futuro para su pueblo, y no la miseria, o quizás la violencia.

Capítulo 3

Cuba y el mercado mundial

Gerardo González Núñez

Los cambios que se vienen produciendo en el escenario internacional le deben plantear a Cuba la necesidad de buscar nuevas variantes de inserción en el mercado mundial. En esta línea, mucho se ha especulado acerca de los nuevos ámbitos geográficos a los que Cuba pudiera concurrir en la reestructuración de sus relaciones económicas externas. Si bien no deja de ser decisivo dónde insertarse, depende en mucho de las condiciones y voluntad expresa de las contrapartes, mediadas por la propia evolución del entorno internacional. Poco se ha hablado, sin embargo, de cómo integrarse, algo que tiene que ver con variables externas al país, pero también con condicionantes domésticas. Nuestro interés es concentrarnos en los aspectos internos de este problema.

La forma de inserción está condicionada, entre otros factores, por la concepción del modelo de desarrollo que se implemente, es decir, por sus factores integrativos: ejes o sectores de acumulación, marco de realización, desarrollo de las fuerzas productivas y sistema de organización y gestión de la economía.

La cuestión del modelo de desarrollo

Un país que se propone como meta histórica la erradicación del subdesarrollo tiene entre sus objetivos la diversificación de los ejes de acumulación capaces de garantizar la reproducción ampliada de la economía. Para alcanzarlo, el país debe desarrollar aquellas ramas de la producción que maximicen las posibilidades de ingresos por exportación de una forma estable.

En la actualidad, caracterizada por una tendencia progresiva a la pérdida de espacio de los productos primarios en el comercio mundial por cambios tecnológicos y de hábitos de consumo en los mercados tradicionales de importación, el desarrollo de una economía multipolar no debe sustentarse exclusivamente en la creación de nuevos productos primarios, aunque se denominen como no tradicionales.

En el caso de Cuba, para poder disfrutar de una posición ventajosa en el mercado mundial, el desarrollo de nuevos ejes de acumulación debe privilegiar aquellos sectores y/o ramas proveedoras de productos con un mayor valor agregado. Pero ello genera un fuerte proceso inversionista que dispara las necesidades de bienes intermedios, de capital y de recursos financieros, que en las economías subdesarrolladas se satisfacen mayormente de fuentes externas. Esto produce un incremento de tensiones en la balanza de pagos.

Estas premisas se tuvieron en cuenta en la estrategia de desarrollo cubana implementada desde mediados de la década de los sesenta. Uno de los principales objetivos de la estrategia adoptada era transformar la estructura económica del país para que se posibilitara una diversificación de las fuentes de ingresos, priorizando las exportaciones con mayor valor agregado. Por ello el centro de dicha estrategia lo constituyó la implementación de la política de industrialización, en la que se definieron como sectores priorizados: la industria azucarera, minería y metalurgia, industria mecánica, industria electrónica, industria química y las industrias productoras de bienes de consumo. La política de industrialización perseguía como objetivos: crear una base nacional de medios de producción indispensables para el desarrollo, sustituir las importaciones que constituyen una carga innecesaria para la economía, garantizar el crecimiento continuado de los principales fondos exportables y asegurar el crecimiento racional del consumo de la población.

Aprovechando la ventaja comparativa que reportaba la condición de gran productor y exportador de azúcar de caña se utilizó la industria azucarera como principal eje de acumulación, ya que, dada la experiencia acumulada y el potencial instalado, era el sector con las mayores posibilidades de generar más rápidamente los fondos requeridos para financiarla. Dado que Cuba constituía una economía muy abierta, su reproducción no podía efectuarse en los ámbitos nacionales, sino en los marcos externos. Ello planteaba el problema de la búsqueda de las fuentes que garantizaran un financiamiento externo creciente a partir de la expansión de las exportaciones y la ayuda externa, lo que se solucionó con la inserción de Cuba en el mercado socialista.

Las relaciones económicas con los países socialistas europeos garantizaron —en lo fundamental— el proceso de reproducción ampliada de la economía cubana, asegurando un mercado estable y precios preferenciales para las exportaciones, a la vez que se obtenían los insumos básicos para el desarrollo del país. Baste señalar que en 1988 el 84% del intercambio comercial del país se realizaba con las naciones de Europa Oriental. Por otra parte, el financiamiento para el desarrollo obtenido de estos países desempeñó igualmente un rol decisivo en el proceso de acumulación en Cuba a partir de 1959.

La Unión Soviética ocupó un lugar privilegiado en estas relaciones. Entre 1960 y 1987 el intercambio comercial con la URSS representó el 62% del total, y entre 1963 y 1982 Cuba obtuvo una ganancia de 136% en la relación de términos de intercambio con dicho país. Desde el punto de vista de la asistencia para el desarrollo, Cuba recibió de la URSS aproximadamente 3,833 millones de pesos entre 1960 y 1985, un 80% de los cuales se orientó al desarrollo industrial del país.

Un factor esencial en la colaboración de los países socialistas fueron las condiciones bajo las cuales se otorgó el financiamiento indispensable para la ejecución de la estrategia de desarrollo. La deuda total de Cuba con los países socialistas se contrató bajo la forma de créditos blandos y fue renegociada en condiciones muy favorables.

En conclusión, la participación creciente de Cuba en el mercado socialista fue una garantía para el desarrollo económico y social alcanzado en el país, contribuyendo decisivamente a resolver las tensiones de su balanza de pagos.

La política de industrialización era inconcebible sin un desarrollo previo de las fuerzas productivas, dirigido a lograr, en primer lugar, altos niveles de incorporación y calificación de la fuerza de trabajo que la colocara en capacidad de absorber las complejas tecnologías. En los inicios este objetivo se cumplimentó a partir de un crecimiento extensivo por la vía de la incorporación de la masa de desempleados. Posteriormente, la ejecución de la política educacional de la Revolución ha permitido que hoy se cuente con una importante fuerza técnica.

Otros dos pilares de la política social de la Revolución —integrados al anterior— han garantizado la adecuada reproducción de la fuerza de trabajo: desarrollo de la salud pública y posibilidades igualitarias de acceso a ella, política redistributiva de los ingresos y distribución equitativa de productos de primera necesidad.

En igual sentido, el proceso de industrialización contó previamente con un esfuerzo inversionista que dotó al país de la infraestructura básica para poder asimilar un parque industrial de una tecnología inédita en el entorno nacional.

Los esfuerzos desarrollados durante todos estos años no han bastado para provocar una transformación estructural de acuerdo con las necesidades de la acumulación productiva y de las exigencias de la economía internacional contemporánea. Por ejemplo, a pesar de los ritmos de crecimientos alcanzados en el sector industrial, el peso de la industria en el Producto Social Global (PSG) no se ha modificado sustancialmente. Mientras en 1961 la industria representaba el 31% del PSG, en 1980 ese porcentaje ascendió a 46%, manteniéndose sin apenas modificación al concluir la década.

En cuanto a la composición del sector industrial, no ha habido un desarrollo proporcional de las ramas que lo integran. Si bien es cierto que en diversas ramas se han logrado ritmos impresionantes de crecimiento del orden de los 9% y 12% como tasa promedio anual, aquellas que pueden generar fondos exportables aún ocupan un porcentaje del orden del 1.5% y el 3%, menor de acuerdo a las necesidades de la reproducción, con la excepción de las ramas química y de construcción de maquinaria no eléctrica que constituyen el 5.4% y el 6% del sector industrial respectivamente.

Además, aún es muy grande el peso de las ramas de bienes de consumo industriales, la textil y de confecciones, la azucarera y la de bebidas y tabaco. En conjunto producen más del 60% de la producción industrial.

Esto ha tenido repercusión en la diversificación de los fondos exportables. En sentido general, el sector industrial ha demostrado su incapacidad para generar y estabilizar dichos fondos. Mientras en 1958 las producciones industriales no tradicionales, constituían el 1.9% de las exportaciones cubanas, en 1989 representaban poco más del 2% dentro de un conjunto de nuevas exportaciones cuyo peso específico en el propio año era del 12%. En 1958 los productos de origen azucarero constituían el 80.6% de las exportaciones del país; en 1989 representaban el 73.2%, es decir, no se han podido diversificar significativamente los ejes de acumulación para garantizar un desarrollo económico autosostenido, manteniéndose una estructura exportadora básicamente primaria.

No ha habido un desarrollo proporcional de todos los sectores y ramas del país. Un ejemplo de ello fue el sector agropecuario, cuya tasa de crecimiento medio anual entre 1962 y 1988 fue de sólo un 2.5% para un ritmo per cápita del 1%. Igualmente, el proceso de desarrollo cubano ha transcurrido bajo las tensiones de un permanente desequilibrio en la balanza comercial que, aunque en un 70% fue cubierto con créditos de los países socialistas, no deja de constituir un grave problema estructural de incidencia recurrente en la economía cubana. El persistente déficit comercial fue debido a que las importaciones crecieron a un ritmo mayor que el de las exportaciones: las primeras lo hicieron a un 8.1% promedio anual entre 1959 y 1987, mientras que las segundas crecieron a un 7.1%.

El haber alcanzado todos los resultados deseados se debe, por una parte, a las condiciones por las que ha transitado la construcción del socialismo en Cuba, dadas las serias dificultades derivadas de la estructura económica deformada y los graves problemas sociales heredados del capitalismo, lo que ha implicado que se desenvuelva en medio de las lógicas contradicciones económicas y sociales que lleva consigo la transformación de las relaciones sociales de producción. Esta transición al socialismo se ha dado, además, bajo la permanente hostilidad norteamericana que, desde 1962, impuso el bloqueo económico a un país totalmente dependiente en su estructura productiva y de consumo del sector externo y ha evitado, entre otros efectos, la posibilidad de tener mayor y mejor acceso a otros mercados.

Por otra parte, han existido otros factores de carácter endógeno que han perturbado el curso eficiente de la economía y que han potenciado los efectos provocados por el deterioro de las variables externas verificado desde los años ochenta.

En primer lugar, hay que señalar la concepción del modelo de desarrollo por vía extensiva que prevaleció desde los 70 —con la consiguiente falta de un sistema adecuado de organización y gestión de la economía— que se basó en la inyección masiva de recursos financieros y materiales para la formación acelerada de nuevos fondos básicos en detrimento de una mayor eficiencia en la utilización de los mismos.

Baste decir que en los años de mayor y sostenido crecimiento económico (1975-1985) las inversiones crecieron a un ritmo mayor que el PSG, constituyendo el factor más dinámico de dicho crecimiento. Sin embargo, este proceso inversionista no ofreció todos los resultados productivos que se esperaba, ya que en gran medida las inversiones se concibieron como proyectos de muy largo plazo, lo que, unido a la inadecuada gestión económica, alargó la puesta en explotación de las nuevas capacidades instaladas.

A mediados de los años 80 comenzó a verificarse un agotamiento de la forma extensiva de crecimiento lo cual se expresó en la incapacidad de la producción de origen interno de garantizar la reproducción ampliada. Esto obligó a incrementar el nivel del desbalance externo para su utilización como fuente fundamental de la acumulación. Visto en cifras tenemos que mientras en 1983 los recursos obtenidos externamente garantizaban el 28% del fondo de acumulación, ya a partir de 1987 estos recursos eran los que posibilitaban íntegramente la reproducción ampliada de la economía.

Como segundo factor endógeno encontramos los resultados no deseados de las relaciones con los países de Europa Oriental al enraizar una actitud de excesiva confianza y acomodamiento a partir del convencimiento de que dicho mercado nos satisfacía la mayor parte de nuestras necesidades y, a su vez, era poco exigente de la calidad y niveles de nuestras producciones y exportaciones.

Así es que, en los inicios de la década de los 90, Cuba puede mostrar avances significativos en el orden económico y social, ha logrado desarrollar sectores y ramas virtualmente inexistentes antes de 1959 y algunas de ellas concebibles solamente en los marcos de una economía desarrollada; pero la economía se ha reproducido sobre bases extensivas, con bajos índices de eficiencia e insuficientes niveles de productividad, lo que sugiere dudas sobre su grado de competitividad en el escenario económico internacional.

La construcción de un nuevo modelo de desarrollo

Por lo tanto, la economía cubana se enfrenta al reto de buscar su viabilidad como consecuencia de la pérdida de sus mercados concesionarios que precipitó la crisis del modelo de desarrollo por vía extensiva prevaleciente y que, como hemos visto, comenzó a mostrar signos de agotamiento desde mediados de los años ochenta. El reto está en la construcción de un nuevo modelo que, respondiendo a las nuevas realidades, privilegie la reproducción por vía intensiva.

El marco de realización del nuevo modelo continuará siendo el sector externo, ya que en las condiciones de la economía cubana sigue siendo factor clave para su reproducción ampliada. Sin embargo, el escenario externo de la reinserción es mucho más complejo ya que nos enfrentamos a un mercado mundial capitalista que se torna más competitivo y excluyente para los países subdesarrollados y para el caso concreto de Cuba, además, sin apoyos internacionales y muy condicionado por la política de hostilidad norteamericana hacia el proceso revolucionario.

En este contexto, las debilidades de la estructura industrial actual requieren ser evaluadas rigurosamente y proyectar una industrialización sustentada en aquellas ramas que tengan mayores perspectivas de desarrollo y competitividad en el mercado mundial. Por supuesto, requiere una modernización tecnológica de la dotación industrial instalada, algo solamente concebible a largo plazo dada la situación actual de la economía cubana.

El problema entonces está en definir los mecanismos que posibilitarían una mayor y mejor explotación de los recursos humanos y materiales y del potencial industrial instalado, garantes de la eficiencia y la competitividad económica, variables que deben definir el carácter y viabilidad del nuevo modelo.

Sin embargo esos mecanismos no deben ser entendidos únicamente como palancas técnico-económicas, sino que también deben incluir un conjunto de resortes políticos y sociales; de ahí que lograr la competitividad de la economía cubana, factor que posibilitaría su viabilidad en el futuro, es un reto que exige el replanteo de los proyectos económicos, políticos y sociales originales de la Revolución sobre la base de su intervinculación sistémica y teniendo como límite la preservación de la opción socialista, reconociendo en ella la conquista de aquellas metas históricas que bajo el anterior sistema socioeconómico fueron permanentemente aplazadas: independencia, justicia social y desarrollo.

Cabría preguntarse: ¿por qué si el carácter de la crisis actual es económico su solución no puede limitarse a la aplicación de medidas económicas? En primer lugar, el socialismo es, sobre todo, un proyecto político-ideológico. Precisamente el Proceso de Rectificación iniciado en 1986 se movió en la lógica de la concepción de que no basta con definir una alternativa que posibilite niveles deseados de prosperidad económica si ello distorsiona y/o retrasa el cumplimiento de los objetivos político y social e incluso ideológico de la Revolución, por ello es que la Rectificación, desde su lanzamiento, persiguió sintonizar el avance de lo económico con lo político, lo social y lo ideológico.

En segundo lugar, el propio curso de la crisis y las políticas de contención a la misma han configurado y configurarán un escenario interno con tendencias no deseables en lo económico con repercusiones políticas, sociales e ideológicas que hay que asumir como referentes en el diseño de un nuevo modelo de desarrollo que intente, fundamentalmente, un uso más intensivo de los recursos humanos.

Una de las problemáticas a enfrentar es la del desequilibrio de las finanzas internas. Como resultado de la caída de la oferta de bienes y servicios se ha generado un exceso de liquidez que, según estimados no oficiales, se sitúa en alrededor de 8 mil millones de pesos, equivalente a un año de salario en circulación. Indiscutiblemente, este fenómeno desestimula la participación productiva de ciertos sectores de la población e incentiva el relajamiento de la disciplina laboral. Ello, unido a la reubicación en los marcos de las políticas de contención a la crisis de cierta fuerza de trabajo excedentaria en puestos generalmente bien diferentes a los originales, coloca en un alto grado de inestabilidad a los recursos laborales del país. Ello se complejizará en los próximos 5 años cuando arriben al mercado laboral 300,000 personas (según estimados extraoficiales) en medio de una economía incapaz de absorber a la totalidad de los arribantes, o al menos, imposibilitada de ofrecerles una opción que se ajuste a sus expectativas individuales.

Por otra parte, la crisis económica ha potenciado el desarrollo del sector informal el cual concentra mayormente el exceso de liquidez existente, constituyendo hoy en día un significativo eje redistributivo de los ingresos. Según estimados extraoficiales en la economía informal circulan alrededor de 2 mil millones de pesos anuales, aproximadamente un 20% de los gastos totales en que incurre la población. De acuerdo con los mismos estimados más del 70% de los núcleos familiares incursionan en el sector informal como compradores. Hasta el momento la respuesta que el Estado ha dado para enfrentar estas actividades ha sido la policial sin tener en cuenta que el sector informal, aunque opera en un contexto ilegal, no deja de poner en evidencia problemas que la propia actividad estatal ha sido incapaz de resolver y que tienen que ver con la insatisfacción de las necesidades de la población en áreas como la de bienes duraderos, semiduraderos, servicios de reparaciones, y se extiende al área alimentaria.

Se impone la necesidad de reflexionar acerca de la viabilidad de "blanquear" el denominado mercado negro permitiendo su organización en pequeñas empresas, con un suministro legal de recursos materiales y sometido a un control estatal a nivel local mediante regulaciones de carácter administrativo y económico como la de un sistema impositivo sobre los ingresos. De este modo dichas actividades pudieran suplir los déficits de oferta de valores de uso y servicios que el Estado no cubre ni podrá cubrir a corto plazo, a la vez que se puede lograr una importante captación de excedentes monetarios redistribuidos en ese sector. Sin embargo, no dejamos de reconocer que esa medida pudiera tener determinado costo político, teniendo en cuenta que los sujetos ofertantes del mercado informal se constituyen en un sector que no necesariamente se identifica con los intereses y objetivos de la construcción del socialismo cubano.

Una tercera problemática a tener en cuenta es la de la proporción en la distribución del ingreso nacional entre el fondo de acumulación y el fondo de consumo.

Históricamente la participación del consumo en el producto final ha manifestado una tendencia decreciente en favor de los crecientes volúmenes de recursos destinados a la acumulación y a la reposición de los gastos productivos. Mientras que en 1975 por estos conceptos se destinó el 55% del producto, en 1988 este valor representó el 60%. La proporción restante ha posibilitado la satisfacción básica de las necesidades sociales e individuales.

Una de las consecuencias de la crisis actual es la afectación de los niveles de vida de la población y el aplazamiento de la satisfacción de sus necesidades crecientes en los rangos deseados. Lógicamente, ello conspira, por el efecto desestimulador que provoca, contra el involucramiento intensivo del recurso humano en la actividad productiva.

Aquí se plantea el tradicional dilema entre los intereses y metas nacionales y los intereses individuales. Este nudo contradictorio adquiere mayor algidez si tenemos en cuenta que, bajo el supuesto de que se puedan lograr los niveles de producción de 1989, sólo se podrá adquirir el 42% de los productos que antes se obtenían, como consecuencia de la desaparición de las condiciones concesionales prevalecientes en las relaciones económicas con los países socialistas europeos.

Es cierto que para dinamizar la economía se requiere de importante inversión de recursos; pero, a su vez, de un significativo incremento de la eficiencia y de la productividad en general. El problema, de difícil solución, estaría en destinar una mayor proporción del ingreso nacional para la acumulación productiva en detrimento, aún más, del consumo individual o social, o bien mantener las proporciones que tradicionalmente se determinaban, con lo cual se mantendría el consumo individual y social a los niveles actuales, por lo que, en esta opción, se apostaría a una dinamización de la economía a muy largo plazo.

Si bien la economía cubana exige un fuerte impulso revitalizador sobre bases endógenas, requerirá para ello de soluciones a la crisis de la cotidianidad que enfrenta la población, por lo que el consumo se convierte en la variable estratégica más determinante en los próximos años, lo cual no significa sacrificar los planes de desarrollo, pero sí adecuarlos a las nuevas realidades.

Baste estos tres ejemplos para demostrar que el diseño de un nuevo modelo de desarrollo debe contener respuestas a estas y otras problemáticas, algunas permanentemente aplazadas y que sus soluciones se revelaban como necesarias incluso antes del agravamiento de la situación económica, soluciones que deben rebasar el marco de lo estrictamente coyuntural y que pueden y deben resultar elementos integrativos de una nueva concepción sistémica de la conducción de la economía.

Sin embargo, el IV Congreso del Partido celebrado en octubre de 1991 fue enfático en señalar que una nueva política en esa dirección sólo podría ser aplicada después de superada la crisis actual, primando el criterio oficial de que en las actuales circunstancias sólo son aconsejables medidas emergentes de ajuste económico.

La principal interrogante que surge entonces es si son suficientes las medidas restrictivas combinadas con políticas de estímulo a determinados sectores económicos para lograr la viabilidad del proyecto económico cubano.

Dentro de la concepción sistémica de la conducción de la economía cabe plantearse cuál sería el sistema de organización y gestión económica más funcional para la gobernabilidad del nuevo modelo de desarrollo, y esto nos lleva al pretérito problema de las relaciones entre mercado y planificación.

Al pensar en la posibilidad de que en un nuevo modelo de desarrollo haya espacio para ciertas reglas de'mercado, no estamos restringiendo el problema al replanteo de determinada propiedad, de por sí replanteada cuando se ha convocado a la inversión extranjera como elemento en la actual política económica. Hablar de reglas de mercado es también referirse a los mecanismos monetarios-mercantiles que permitan una adecuada relación entre empresas estatales. Ello va muy ligado, igualmente, al problema de la descentralización de la actividad económica.

La relación contradictoria descentralización-centralización ha sido un fenómeno de permanente debate a lo largo de toda la Revolución y que en más de una ocasión se ha revelado en la práctica de las políticas económicas, aunque generalmente con la balanza inclinada a favor de las tendencias centralizadoras.

El aspecto más controversial que enfrenta a estas dos posiciones ha sido el de la limitada disponibilidad de recursos, factor frecuentemente enarbolado para justificar la concentración de poderes decisorios en las autoridades centrales.

El proyecto socialista cubano desde sus inicios se lanzó a alcanzar el desarrollo económico-social del país en medio de condiciones externas adversas y con una gran escasez de recursos. Se justificaba entonces que el Estado concentrara importantes prerrogativas y se forjara de amplias capacidades financieras y materiales para la creación de la infraestructura básica, el desarrollo de los sectores que constituyeran los ejes de acumulación y para garantizar una política social igualitaria mediante medidas redistributivas y la extensión de los servicios esenciales a toda la población.

Si bien ello no deja de tener fundamento, no se puede obviar que, ante las múltiples metas y objetivos a alcanzar y los limitados medios y recursos con que se cuenta, el Estado se ve obligado a determinar prioridades, no pudiendo satisfacer al mismo nivel ni al mismo tiempo todas las necesidades planteadas. En este contexto un proceso descentralizador permitiría incentivar aún más las capacidades generadoras de iniciativas en la movilización de recursos de los diversos actores territoriales y empresariales —algo que se ha demostrado con algunas experiencias en ejecución— que no han sido totalmente explotadas.

Estas reflexiones no apuntan a deslegitimar el papel del Estado y de la planificación en el actual y perspectivo escenario, todo lo contrario, deben continuar jugando un rol protagónico. La forma de articular los intereses nacionales con los territoriales y empresariales —más allá de mecanismos legales que pudieran propiciar dicha articulación—

puede ser a través del proceso de planificación. En el proceso de planificación el marco contextual más amplio lo constituye el plan nacional perspectivo. En él las decisiones se refieren a los principios esenciales que orientarán la vida económico-social del país, los que están directamente ligados al proyecto político que se esté implementando y a la estrategia económica y social que se piense como la más conveniente dentro del proyecto político, considerando las especificidades concretas que el diagnóstico de la economía arroja como resultado. Indudablemente, la importancia y amplitud de las decisiones que corresponde tomar en este sentido exigen la ingerencia directa de los más altos niveles de expresión del poder político de la nación.

De ahí que consideremos al gobierno central como el actor principal del proceso de planificación. Muchas razones avalan esta definición y la más importante de ellas es que la planificación es un proceso cuyas decisiones más generales y estratégicas afectan la vida actual y futura del país y la de los diferentes sectores sociales, y estas decisiones sólo pueden ser tomadas por quien posea una visión nacional de los problemas. Razones que se suman a la expuesta son, entre otras, el volumen de recursos que maneja, su mayor capacidad técnica, etc.

Finalmente, hay que considerar que cualquier modelo de desarrollo que se implemente va a estar igualmente acotado por límites externos derivados fundamentalmente de la permanente hostilidad de los Estados Unidos contra el proceso revolucionario cubano, hostilidad que dificulta la reinserción de Cuba en el sistema económico internacional, eleva los costos económicos y distorsiona cualquier posibilidad de cambio interno.

CAPÍTULO 4

PARTICIPACIÓN Y DESARROLLO EN LOS MUNICIPIOS CUBANOS

Haroldo Dilla
Gerardo González Núñez
Ana Teresa Vicentelli

A partir de marzo de 1989 el Centro de Estudios sobre América inició un proyecto de investigación en torno al sistema municipal cubano, bajo los auspicios financieros del International Development Research Centre (IDRC) e incluido en el proyecto regional sobre organizaciones comunitarias coordinado por el Centre for Research on Latin American and the Caribbean (CERLAC) de la Universidad de York en Toronto.

La selección del municipio como tema —que en cierta medida peculiariza este proyecto respecto a sus homólogos en la red— respondió a poderosas razones teóricas. Si bien desde hace varias décadas existe en Cuba un fuerte proceso de organización y participación en las comunidades habitacionales, la creación de los gobiernos locales resultó un momento crucial en la redefinición de los roles y relaciones de las organizaciones comunitarias y, de hecho, los municipios, en condiciones que explicaremos más adelante, devinieron en ejes articuladores del involucramiento popular comunitario. Por supuesto en la medida en que tratamos

59

de una relación de la sociedad civil y el Estado al nivel referido, no podíamos obviar la evaluación de éste último, su estructura, espacios de acción participativa y poderes reales, todo lo cual está íntimamente vinculado al fenómeno de la descentralización político-administrativa.

Pero no fueron sólo razones teóricas las que animaron la selección del tema. Desde 1986 los gobiernos locales cubanos entraron en un proceso de modificaciones paulatinas que, de acuerdo con el cronograma oficial, debería conducir a cambios más sustanciales a partir de la segunda mitad de 1990. Ello nos brindó la oportunidad de situarnos en un área de debate y de capacidad de poder influir en las tomas de decisiones (o al menos tratar de hacerlo) sobre las adaptaciones y cambios que debería experimentar un segmento tan sensitivo del aparato público; desaprovecharla hubiera sido un crimen imperdonable.

A pesar de que los cambios que se vaticinan no parecen ser tan espectaculares como para cambiar las coordenadas esenciales del diseño actual, el resultado académico que aquí presentamos tiene inevitablemente un cierto sabor histórico, lo cual tendremos oportunidad de discutir más exhaustivamente en las conclusiones finales.

Los propósitos del diseño original

La existencia de los municipios en Cuba tiene una larga historia. Durante el período colonial español y, sobre todo, en la etapa republicana prerrevolucionaria, los municipios fueron un factor significativo de la vida política, particularmente en lo que se refiere al reciclaje de la legitimidad mediante la extensión del clientelismo y el patronazgo políticos. En cambio, sus roles en el desarrollo regional o de la implementación de formas participativas fue mucho más discreto, en buena medida dada la excesiva centralización prevaleciente, la crónica carencia de recursos y la corrupción de las élites políticas locales.

Con el inicio del proceso de cambios revolucionarios (1959) este sistema municipal fue reemplazado por instituciones con poderes administrativos limitados tales como las llamadas Juntas de Coordinación e Inspección (JUCEI) y más adelante —a partir de 1965— los llamados Poderes Locales. Estos últimos consistían en cuerpos administrativos, con jerarquías locales estables, dotados de poderes delegados desde las instancias centrales y que, al mismo tiempo, suponían ciertos mecanismos de mediación electoral.

Tanto las JUCEI como los Poderes Locales pueden ser considerados antecedentes institucionales del sistema municipal actual, pero probablemente mucho más relevante resultó la existencia de un conjunto de organizaciones políticas y de masas con asiento barrial, principalmente los Comités de Defensa de la Revolución (CDR) y la Federación de Mujeres Cubanas (FMC).

En realidad el espacio comunitario devino en un escenario participativo muy vigoroso para la obtención de apoyos al nuevo sistema —movilización de recursos humanos y materiales, confrontación popular a la contrarrevolución— y de socialización política. Al mismo tiempo, y particularmente en lo que se refiere a la FMC, fueron vehículo de representación sectorial y de aplicación de políticas de promoción de determinados grupos sociales.

La creación en 1976 de un primer sistema municipal revolucionario (Organos Locales del Poder Popular - OLPP) fue una acción insertada en el proyecto de modernización y democratización del sistema político y administrativo que ha sido conocido como Proceso de Institucionalización.

Una acción de esa naturaleza planteó a sus diseñadores al menos tres problemas de difícil solución:

—En primer lugar, se trataba de la creación de un entramado institucional y normativo capaz de dotar a los recién creados gobiernos locales de la capacidad para gobernar —y no simplemente de poderes administrativos delegados— sobre las jurisdicciones territoriales respectivas, tomando en consideración que estamos hablando de una economía casi exclusiva de la propiedad pública.

—En segundo lugar, se trataba de hacerlo de una forma suficientemente democrática, no sólo en aras de conservar el alto grado de involucramiento popular alcanzado en etapas precedentes, sino también para intensificar cualitativamente los patrones de participación mediante la ampliación de ejercicios de selección de liderazgos y de fiscalización y control popular sobre la gestión pública local. Al mismo tiempo esto implicaba el rediseño de los roles de las organizaciones políticas y sociales con asiento comunitario —muchas de las cuales habían asumido funciones estatales en años anteriores— y de las relaciones de ellas con los recién creados gobiernos locales.

—Por último, aunque no menos importante, suponía la violentación de métodos y estilos políticos y administrativos muy arraigados en el aparato público y en la propia ciudadanía y sus reemplazos por una nueva cultura.

De forma sintética, el diseño legal del gobierno municipal cubano partía de la consideración de que el centro jerárquico estatal a nivel local debería residir en la institución representativa por excelencia, la Asamblea Municipal, compuesta por todos los delegados electos en las circunscripciones mediante el voto directo y secreto de la población. Esta asamblea estaba provista de la potestad para elegir, fiscalizar y revocar tanto el órgano ejecutivo (comité ejecutivo) como el administrativo, así como a sus representantes en las asambleas provinciales respectivas y en la Asamblea Nacional, las cuales son legalmente los máximos órganos estatales en sus instancias. Dado que los ciudadanos (en su calidad de electores) estaban facultados no sólo para elegir sino también para revocar a sus delegados a las asambleas municipales, el diseño quedaba como una cadena de sucesivas subordinaciones en la que la delegación de la soberanía era condicional y sus efectos transcendían el marco puramente local. En todos los casos el derecho de los electores a la revocación fue sustanciado con la obligatoriedad de los elegidos de rendir cuenta de su labor a los primeros y de someterse a su escrutinio crítico.

El esquema participativo aquí diseñado contenía una interesante combinación de formas de democracia directa con un uso de la representación constituida electoralmente. En general, el diseño intentaba proveer a los ciudadanos de capacidad de selección de los liderazgos locales, de expresión de demandas, de fiscalización y evaluación, masiva o selectiva, de las políticas locales y de sus resultados, así como de su involucramiento en obras de beneficio comunitario. Las organizaciones sociales y políticas barriales se enlazaban de diversas maneras con este proceso, particularmente para movilizaciones o apoyo, aunque conservando otras funciones específicas.

En este contexto los órganos administrativos resultaban sujetos a la autoridad de los representativos, pero en conjunto quedaban dotados de atributos y recursos considerados imprescindibles para el ejercicio del gobierno. Ante todo se trató de transferir a las nuevas instituciones el control sobre un amplio abanico de servicios y actividades económicas que hasta entonces habían sido actividades administradas directamente por el poder central o a través de delegaciones. Generalmente estas actividades se relacionaban con servicios sociales básicos (salud, educación, seguridad social, provisión de empleos) o económicos tales como servicios de reparación, restaurantes, cafeterías, construcciones y mantenimiento de edificaciones, etc, pero en muy pocos casos con actividades productivas, las cuales continuaron siendo por lo general un área de acción de las provincias o del gobierno central.

El planeamiento de esta transferencia de poderes administrativos tuvo que enfrentar dos problemas inmediatos. El primero era cómo congeniar los grados de autonomía local otorgados con los imperativos de la planificación centralizada, para evitar la atomización, el dispendio de recursos y el desarrollo regional desigual. Aquí la fórmula encontrada fue la llamada "doble subordinación" que reservaba a las instancias centrales la dirección metodológica de las actividades localmente subordinadas, mientras que los gobiernos locales eran investidos del control administrativo. El segundo problema se refería a cómo compatibilizar la acción del gobierno municipal con el total de la economía territorial, incluyendo las empresas de subordinación nacional. Aquí se estableció un conjunto de normas que prescribía una acción limitada de los gobiernos locales sobre las empresas nacionales y que era indistintamente calificada en los documentos oficiales como de "control", de "ayuda" o simplemente de "apoyo".

Como era de esperarse, aun cuando fue establecido un modelo institucional y normativo único, el desarrollo posterior del sistema fue afectado por acciones correctivas decididas nacionalmente o por adaptaciones de facto a las condiciones territoriales específicas, lo que de hecho relativiza cualquier apreciación general que no tome en cuenta la heterogeneidad real existente. De cualquier manera, tras más de tres lustros de funcionamiento, es posible apreciar en el sistema de gobiernos municipales sus logros y sus lados flacos, así como que muchas de las soluciones propuestas en el diseño original se han convertido virtualmente en parte de los problemas.

Acciones y escenarios de la investigación

La descripción anterior enuncia implícitamente los dos principales objetivos que animan esta investigación, la evaluación de los espacios municipales como a) escenarios de participación popular en la selección de los liderazgos, en la toma de decisiones y en la ejecución de obras de interés comunitario, y b) como cuerpos reales de gobierno a partir de sus capacidades gobierno, y coactivas en sus respectivas jurisdicciones. De igual manera no es difícil identificar los principales componentes institucionales del espacio municipal (sujetos), los que sucintamente pueden ser listados de la siguiente manera:

1. Ciudadanos, reconocidos en su diversidad genérica, generacional, ocupacional, etc.
2. Organizaciones sociales y políticas con asiento comunitario, incluyendo al Partido Comunista.
3. Representantes comunitarios (delegados).
4. Asambleas municipales y sus órganos auxiliares.
5. Comités Ejecutivos de las Asambleas Municipales.
6. Aparatos administrativos locales.
7. Instituciones nacionales y provinciales asentadas en el territorio.

Cada uno de estos sujetos fue sometido a un proceso de análisis con la aplicación de diversos instrumentos (entrevistas, encuestas, observaciones, técnicas de grupos) y de una exhaustiva revisión documental. En algunos casos los sujetos resultaron altamente complejos, por lo que su aprehensión cognoscitiva sólo fue posible mediante la interacción de diversos instrumentos en varios momentos del proyecto. En algunas situaciones la investigación requirió realizar indagaciones más profundas y localizadas, lo que fue salvado mediante el diseño de estudios de casos.

Uno de los problemas metodológicos más agudos fue la selección de aquellos municipios en los que debería realizarse el trabajo de campo. Descartada la posibilidad de aspirar a una muestra representativa (dada la carencia de estudios previos y de una base estadística confiable), decidimos seleccionar un grupo de municipios con características suficientemente diversas. Tras analizar un total posible de doce, seleccionamos cuatro de ellos siguiendo un criterio muy simple. En primer lugar un municipio ubicado en la capital, y para ello optamos por aquel que presenta más acusadamente los problemas de la congestión urbana y la sobrepoblación: Centro Habana. En segundo lugar, un municipio con rasgos históricos definidos y con dimensiones demográficas y territoriales considerables, en este caso Bayamo, al oriente de la isla. Por último, dos municipios pequeños (no más de 40 mil habitantes) y con grados desiguales de desarrollo, Chambas y Santa Cruz del Norte, en el centro y el occidente de la isla respectivamente. Como veremos la heterodoxia metodológica fue acompañada con la suerte, y el resultado fue lo suficientemente diverso como para satisfacer los requerimientos iniciales. Dado que en un apéndice específico tendremos oportunidad de referirnos a los detalles metodológicos, conviene detenernos brevemente en las características de los municipios seleccionados.

Por supuesto, proponerse investigar el espacio municipal sin otras consideraciones conllevaba el riesgo de desembocar en un estudio dedicado al problema de la administración y las políticas públicas, tema nada irrelevante, pero constreñido en sí mismo y, de cualquier manera, distante de los objetivos del proyecto regional. Aunque los municipios cubanos son efectivamente comunidades político-legales, la generalidad de ellos no lo son desde la perspectiva socio-histórica, resultado lógico si tenemos en cuenta que son instituciones asentadas en una división política y administrativa que tiene menos de dos décadas de vigencia. Dentro de cada espacio municipal conviven poblados y comunidades diferentes en sus grados de desarrollo y texturas culturales, en ocasiones con fuertes sentimientos comunitarios forjados como antítesis de sus vecinos. En consecuencia, si bien la aprehensión del municipio en su conjunto resultaba vital para analizar la dimensión de la toma de decisiones, no bastaba para lograr una aproximación a la dinámica comunitaria y a la inserción ciudadana en ella, cuyos ritmos y modalidades están sujetos a numerosas variables que rebasan la calidad de la convocatoria política.

El estudio fue enfatizado en las localidades cabeceras de los municipios seleccionados, todos con un perfil urbano más definido y en los que tienen asiento los principales órganos del gobierno municipal. Dentro de cada localidad fueron a su vez seleccionadas de manera intencional entre cinco y siete circunscripciones, en las que tratamos de combinar dos variables básicas: el tipo de liderazgo desarrollado en ellas y las características socioeconómicas comunitarias. Fue en estas circunscripciones donde la comunidad política coincide con la extensión de las relaciones ordinarias de la vida cotidiana y, por tanto, en ellas hicimos la aplicación de las mediciones de las conductas ciudadanas y los procesos participativos.

El primero de los municipios seleccionados fue Centro Habana, arteria comercial de la capital y que expresa como pocos las complejidades de la vida en las grandes ciudades.

En realidad este municipio es la unión de cinco barrios capitalinos diferentes, pero con suficientes vínculos históricos entre ellos para no considerarlo un municipio artificial.

Sería exagerado afirmar que Centro Habana constituye un área marginal o un típico "barrio bajo". Aquí la población dispone de servicios médicos, educacionales y de seguridad social bastante eficientes, y el desempleo es un fenómeno reducido. La vida cultural es intensa y una parte importante de la población ha alcanzado niveles de escolaridad elevados. Pero, al mismo tiempo, uno de sus rasgos más evidentes es la depauperación de los espacios habitacionales, con todas las consecuencias sociales que ello genera.

Téngase en cuenta que en este municipio, de sólo 3.5 km^2 habitan algo más de 164 mil personas, lo que ha conducido al hacinamiento en cuarterías y ciudadelas donde no es raro encontrar varias decenas de personas usando un solo servicio sanitario común. La gran mayoría de las edificaciones tienen más de 50 años de construidas y prácticamente nunca han sido sometidas a reparaciones, por lo que los derrumbes parciales o totales no son una noticia espectacular. Aunque aquí los actos delictivos no constituyen un íngrediente tan cotidiano como en otras grandes ciudades de América Latina (los niveles cubanos son bajos al respecto), estos han mostrado una tendencia creciente, lo que ha sido correspondido con políticas de prevención e integración por parte del gobierno local y de las organizaciones comunitarias. Un dato interesante es que tales políticas han sido basadas en el rescate de las tradiciones culturales barriales y en la implementación de programas de autodesarrollo comunitario. Sin embargo, la disponibilidad real de recursos ha sido insuficiente y ha impedido el más feliz desenlace.

De todos los municipios estudiados fue aquí donde los índices de conflicto e insatisfacción se mostraron más agudos, y donde el gobierno local goza de menor legitimidad. Por supuesto que esto está determinado por la poca posibilidad de los dirigentes locales para adoptar iniciativas en un territorio ubicado en plena capital, plagado de instituciones nacionales que escapan a su control y sobrecargado de problemas de difícil solución generados no sólo por sus pobladores, sino también por el alto volumen de población flotante que cada día recorre las áreas comerciales y consumen los servicios administrados por el gobierno local.

Bayamo, en el oriente cubano, tiene puntos comunes con Centro Habana, pero también notables diferencias. Entre los primeros pudiéramos mencionar su magnitud demográfica —un total de 187 mil habitantes, dos tercios de los cuales asentados en áreas urbanas— y una casi perfecta identificación del municipio legal con la comunidad histórica. Esta es posiblemente la característica más resaltante de Bayamo, una ciudad con una larga y singular tradición cultural e histórica, que es reconocida como propia por cada uno de sus habitantes. Ser "bayamés" es una condición que portan los habitantes de esta ciudad con marcado orgullo y que es recordada al visitante en las numerosas tarjas y monumentos que inundan sus calles.

Pero, a diferencia de Centro Habana, Bayamo constituye un sistema socioeconómico y político integrado, y de hecho el gobierno municipal ejerce sus funciones con mayor efectividad, a pesar de tener en su territorio la sede del gobierno provincial y de numerosas empresas no subordinadas a la administración local. Y, por supuesto, la existencia de conflictos entre los diferentes actores de la vida municipal —digamos que brotan con toda la espontaneidad y franqueza que caracteriza a sus habitantes, pero siempre queda un espacio mayor para la construcción y administración del consenso.

Probablemente los dos principales problemas que confronta el municipio sean la situación de la mujer y el problema del desempleo. En el primer caso Bayamo es un exponente de la prevalencia en la cultura cubana de patrones patriarcales discriminatorios que se expresan con especial crudeza en la zona oriental del país. Aunque la integración femenina a la fuerza laboral es sólo ligeramente menor que la media nacional, esto no ha producido cambios trascendentales en la vida cotidiana. Sólo un 12% de los delegados electos son mujeres (contra un 17% a nivel nacional) a pesar de que han tenido un buen desempeño en éstas y otras funciones de gobierno. Un dato impactante es que es usual que las mujeres rechacen ser nominadas alegando públicamente la desautorización del esposo, lo cual, aun cuando pudiera ser cierto, sería considerado al menos poco elegante en otras regiones del país.

Por último, existen en el municipio alrededor de 14 mil desempleados, casi todos jóvenes, lo que es considerado por las autoridades locales como uno de los desafíos más acuciantes a la gestión gubernamental. Esta dramática realidad está dada tanto por las altas tasas de natalidad como por la fuerte migración proveniente de las zonas montañosas aledañas (sólo recientemente aminorada con la aplicación de planes especiales de desarrollo regional) dato este último que ha generado la proliferación de barrios insalubres en torno a la ciudad, en varios de los cuales se desarrollan proyectos comunitarios de desarrollo con fuerte contenido autogestionario.

Santa Cruz del Norte posee unos 40 mil habitantes. Dos tercios de ellos asentados en 12 comunidades urbanas, la mayor de las cuales, Santa Cruz, no sobrepasa los 9 mil. Santa Cruz es un tranquilo y hermoso poblado costero cuyos habitantes sostienen entre sí fuertes lazos primarios y donde es factible localizar a una persona preguntando a cualquier transeúnte por su nombre. Nada aquí recuerda a los tumultos bulliciosos y a los problemas insolubles de las grandes urbes. Todos los problemas parecen tener solución y, según un observador de nuestro equipo, Santa Cruz parece ser el lugar ideal para probar una vida longeva. Sin embargo, Santa Cruz tiene realmente problemas. Algunos de ellos provienen de lo que ha sido la fuente de su prosperidad: el vertiginoso proceso de industrialización que ha tenido lugar en el territorio. Por supuesto que ha repercutido favorablemente en más de un sentido —mayor cantidad y calidad de recursos humanos y materiales y la potenciación de una efectiva integración socioeconómica del territorio— pero también ha tenido efectos negativos tales como la contaminación ambiental y la importación masiva de mano de obra desde la capital.

Este último resultado ha creado una singular dicotomía, de manera que cerca del 20% de los pobladores son recién llegados y, según un líder local, "tienen los pies en Santa Cruz y la cabeza en La Habana". Los santacruceños consideran regularmente a estas personas como intrusos, y los recién llegados desprecian lo que consideran "rústicos hábitos" de los autóctonos, y aunque el conflicto se resuelve casi siempre con una mutua indiferencia, ha sido un factor de relevancia en la toma de decisiones y en la calidad participativa de las diferentes partes de la localidad.

Por supuesto que estas diferencias serán suavizadas por el tiempo y, a mediano plazo, Santa Cruz será bastante diferente a lo que es hoy, probablemente en detrimento de algunos de sus atractivos actuales.

Por último, Chambas, en el centro de la isla, es un municipio con magnitudes demográficas muy similares a Santa Cruz, pero con un mayor peso de población rural y de la ocupación agrícola. Su localidad cabecera, también denominada Chambas, tiene unos 8 mil habitantes conectados entre sí por vínculos primarios posiblemente más fuertes que en Santa Cruz.

A pesar del visible desarrollo de los servicios sociales y de las numerosas inversiones económicas que han tenido lugar en el territorio, Chambas es en buena medida lo mismo que era hace dos décadas y nada anuncia cambios dramáticos en las siguientes. No es precisamente un municipio tan próspero como Santa Cruz, pero tampoco hay señales de la depauperación presente en Centro Habana.

Se trata de lo que hemos denominado "el municipio del consenso" —casi todos se muestran de acuerdo con casi todo— a lo cual no ha sido ajeno el sorprendente dinamismo del liderazgo local (donde las mujeres tienen un rol decisivo) pero también el peso de las costumbres tradicionales más proclives a la aceptación de la autoridad. En la vida cotidiana del poblado se respira una sincera hospitalidad, de la que por supuesto nuestro equipo fue profundamente beneficiado.

De los cuatro municipios estudiados Chambas es el más débil como entidad política y como cuerpo sociohistórico. La coincidencia entre municipio legal e histórico es casi inexistente y no hay, como en Santa Cruz, fuerzas centrípetas importantes, excepto la voluntad de sus líderes políticos. El territorio municipal se divide en varias regiones con centros definidos en torno a grandes empresas azucareras y pobres vínculos entre ellas. No es casual que los líderes locales hagan esfuerzos especiales para evitar lo que denominan "manifestaciones del localismo", y muchas de las acciones del gobierno van dirigidas a resolver (o prevenir) conflictos de esta naturaleza.

En otro sentido, el municipio ha sido seriamente afectado por las tendencias centralizadoras del gobierno provincial, lo que de hecho ha reducido su aparato administrativo y por consiguiente sus capacidades de gestión y de respuesta a las demandas de la población.

Como podrá observarse, el universo seleccionado es suficientemente diverso para acometer un conjunto de comparaciones y generalizaciones válidas para todo el espectro nacional, y al mismo tiempo conservar aquellas especifidades que delatan el contenido concreto del estudio. Unas y otras serán abordadas en los siguientes acápites, los que siguen la lógica expresada en los dos objetivos fundamentales enunciados al inicio.

La selección del liderazgo: proceso, conducta y resultados electorales

Los procesos electorales municipales tienen lugar cada dos años y medio y la responsabilidad de su organización recae a nivel local en la Comisión Electoral, dirigida por el líder local del Partido Comunista y compuesta por representantes de diferentes organizaciones sociales y de masas y por personas con experiencia en la organización de este tipo de actividad. Las funciones de estas comisiones son diversas, pero pueden resumirse en tres: organización, movilización de recursos y garantía de la observancia estricta de las normas legales existentes. De manera general este proceso puede dividirse en dos grandes etapas: una primera en la que los electores agrupados en circunscripciones eligen a sus representantes (delegados) a las Asambleas Municipales; una segunda en la que los delegados proceden a elegir el órgano ejecutivo del gobierno municipal y las representaciones municipales en los niveles provinciales y nacional. Dado que tendremos oportunidad más adelante de referirnos a esta última etapa, es preferible centrar ahora la atención en la primera de ellas, precisamente en la que se ejecuta el voto popular directo; para su mejor comprensión pudiéramos dividirla en tres fases:

La primera corresponde a lo que podemos denominar fase de nominación, y se realiza a través de una serie de asambleas vecinales en las que los ciudadanos discuten acerca de los vecinos con mejores cualidades para ser nominados candidatos y finalmente votan de forma abierta y directa sobre todos los propuestos hasta elegir a los que consideren candidatos más adecuados, siempre más de uno y hasta un número tope de ocho.

De acuerdo con lo observado, a estas asambleas asiste algo más de la mitad de los electores registrados, y las personas más proclives a participar activamente son los ancianos y las mujeres, no solamente en los debates sino también en la preparación de los lugares de reunión, que pueden ser salones de edificios públicos (escuelas, pequeños teatros, etc.) o simplemente áreas abiertas. Aun cuando existe una liturgia que rige el orden de las asambleas, éstas se caracterizan por un clima de debate informal a lo cual contribuye decisivamente el jolgorio característico de los niños de la vecindad, para quienes estas actividades constituyen, además, una excelente oportunidad recreacional.

Siguiendo una regla básica del ejercicio electoral municipal, ninguna organización puede presentar candidatos ni apoyar públicamente a ninguno de ellos, lo que fue previsto para garantizar la libre expresión de las preferencias ciudadanas en detrimento de cualquier probable interferencia externa. Por esta razón las propuestas son regularmente elaboradas de manera individual o con un nivel muy precario e informal de concertación colectiva.

Concluida la ronda de asambleas de nominación se inicia una segunda fase cuyo objetivo esencial es brindar a la población la información considerada necesaria sobre las características de los diferentes candidatos a fin de que puedan escoger al que consideren el más indicado para representar los intereses de la comunidad ante el gobierno local. El método informativo es notablemente parco, y prácticamente se limita a la exposición en lugares públicos de las biografías y las fotos de los candidatos nominados en cada circunscripción. Al igual que en la fase precedente, no son permitidas campañas políticas ni otras acciones en favor de algún candidato.

Por último tiene lugar el acto de votación (el voto es secreto, directo e igual) al cual concurren todos los ciudadanos mayores de 16 años en ejercicio de sus derechos políticos. La asistencia a la votación es realmente muy alta, en todos los casos superior al 95%, índice que tiende a descender en las segundas vueltas. De acuerdo con nuestras constataciones empíricas, los ciudadanos concurren a los colegios electorales con una idea definida acerca de su candidato de preferencia, y muy pocas boletas tienen que ser anuladas o son depositadas en blanco.

Aunque los colegios electorales permanecen abiertos hasta las 6:00 PM, la inmensa mayoría de las personas prefiere votar en horas previas al mediodía, ya que la votación es en muchos lugares una suerte de oportunidad de interacción social que las personas aprovechan para charlar e intercambiar saludos con sus vecinos y regularmente permanecen durante largo tiempo en los alrededores de los colegios electorales. También es común observar que las familias concurren en grupos que con frecuencia abarcan desde los abuelos hasta miembros más jóvenes de la familia.

El proceso político descrito es en más de un sentido un momento vital de la vida política nacional. En un primer plano, técnicamente resulta el punto de partida de la constitución del resto de los órganos estatales, ya que aquí son conformadas las Asambleas Municipales, las que reciben el mandato para elegir tanto las Asambleas Provinciales como la Nacional. En un plano más perspectivo, han constituido el único ejercicio electoral directo en el ámbito estatal de que ha gozado la población cubana y, por tanto, un experimento de relevancia en la construcción democrática nacional y en la configuración de una cultura política participativa.

Pero, sobre todo, la experiencia de las elecciones municipales cubanas guarda un interés que trasciende el marco puramente nacional por realizarse en el escenario de un sistema unipartidista y, por tanto, su calidad participativa pudiera regular un índice significativo acerca de las posibilidades reales de desarrollar una democracia participativa en tal género de contexto político, incluso como alternativa a otros esquemas competitivos multipartidistas cuyos magros resultados son bien conocidos.

Por supuesto que la calidad participativa de cualquier proceso electoral es inseparable del clima de libertad en que tiene lugar, entendido, en primer lugar, como la capacidad de los ciudadanos para desplegar su derecho a la nominación, a la selección de alternativas y al voto sin interferencias coactivas externas. Según todas las evidencias empíricas colectadas, las elecciones municipales cubanas se desarrollan en un clima suficiente de libertad que la ciudadanía acepta como legítimo, lo cual no omite, por supuesto, la incidencia de factores compulsivos, como pueden ser el sentido de obligación cívica o el compromiso político-ideológico. Todas las entrevistas aplicadas a personas que habían realizado propuestas de nominación, argumentando sobre ellas o votando, indicaron la no existencia generalizada de mediaciones externas a la libre preferencia ciudadana o a la concertación colectiva voluntaria y regularmente espontánea.

Por supuesto, esta afirmación ofrece más de una invitación a la duda, y no sólo por razones de prejuicio ideológico. Pudiéramos referirnos, por ejemplo, a lo que ha sido uno de los datos más comentados por la sociología cubanológica; el alto porcentaje de miembros del Partido Comunista (PCC) y de la Unión de Jóvenes Comunistas (UJC) elegidos como delegados (más del 70%) a pesar de que las personas con esta condición sólo constituyen cerca del 17% de la población adulta total. Para una buena parcela de la sociología cubanológica esto se percibe como una suerte de "sobrerrepresentación" de la militancia (término con que se designa en Cuba a los miembros del PCC o de la UJC) y el resultado de una suerte de manipulación orwelliana del sistema con vista a garantizar lealtades políticas en los órganos gubernamentales. En el otro extremo el dato es interpretado linealmente como un índice explícito de apoyo popular al PCC y, por tanto, como un acto definido de identificación con los valores político-ideológicos oficiales. Los dos criterios sustentados tienen más de un lugar común, particularmente la asunción de que el voto se realiza conscientemente a favor de un militante, de forma impuesta o voluntaria.

En cambio, la realidad parece ser otra y no exactamente un punto intermedio entre ambos extremos. El comportamiento electoral de las comunidades estudiadas y, en consecuencia, la orientación del voto, parecen tener más puntos de contacto con una vocación ética que con un paradigma político-ideológico. Ante la pregunta sobre las cualidades que consideraban más importantes en un delegado, la mayor parte de las personas entrevistadas se refirieron a consideraciones morales (tales como "honradez", "solidaridad con los vecinos", "sensibilidad humana", etc.), en segundo lugar mencionaban cualidades político-ideológicas y sólo en tercer lugar las preferencias se orientaban hacia las capacidades de gestión y dirección de los candidatos. Menos de una décima parte hizo alusión a la cualidad "militancia en el Partido Comunista o en la Unión de Jóvenes Comunistas", a pesar de que, de los 10 candidatos en juego en las cinco circunscripciones bajo estudio, 9 eran militantes PCC o de su rama juvenil. Incluso buena parte de los ciudadanos no recordaban si los candidatos eran militantes del PCC-UJC.

Por supuesto que con esto no pretendemos descartar el peso de las consideraciones político-ideológicas en la orientación del voto, como tampoco desconocer las implicaciones que de esta misma naturaleza tiene un resultado como el descrito, al menos en lo que se refiere a su incidencia en la legitimidad del rol de dirección del Partido Comunista sobre la sociedad cubana. Pero sí pretendemos resaltar que más que una lectura extática, desde cualquiera de la aceras, el fenómeno comunitario cubano —en cuanto nicho participativo— requiere de una interpretación que tome en cuenta el factor político-ideológico, pero que no se reduzca a ello. Y en cambio sea capaz de integrar otras dimensiones tales como el sentido de pertenencia comunitaria, la fortaleza de los liderazgos locales o las peculiaridades de una nueva civilidad cristalizada tras treinta años de vida revolucionaria como un conjunto de valores, normas y conductas políticas orgánicas al tejido nacional en su diversidad genérica, cultural, generacional e incluso existencial.

No obstante, aun cuando consideremos que el clima de libertad es necesario para acceder a un proceso electoral realmente participativo, habría que reconocer que no es una condición suficiente. Todo acto electoral implica una transferencia de poder (de hecho es sólo un capítulo de la circulación del poder político) y en consecuencia su calidad participativa no se reduce a lo que el paradigma liberal ha pretendido que sea. De hecho la gradación democrática del voto está en relación directa con su propia potenciación como un acto consciente de delegación condicional de la soberanía.

Probablemente esta consideración estuvo en la mira de los diseñadores del esquema electoral municipal cubano, y al respecto instrumentaron normas de mandato imperativo tales como las rendiciones de cuenta y el derecho a la revocación, que tendremos oportunidad de analizar más adelante. Pero al mismo tiempo el esquema no fue provisto de mecanismos capaces de sobrepasar la acción meramente individual y de convertir el espacio electoral en un marco de interacción y concertación ciudadana, y de potenciación de los liderazgos locales. Lo paradójico de esta limitante es que, en buena medida, los factores que la determinan son los mismos que en el diseño original fueron concebidos para garantizar el libre ejercicio de la voluntad ciudadana.

Pudiéramos ilustrar esta afirmación con el análisis de la forma en que fue concebida la circulación de la información en el proceso electoral. Como decíamos antes, en aras de garantizar una equidad competitiva entre los candidatos directamente nominados por la población, las reglas electorales proscriben el uso de campañas o propaganda de cualquier tipo en favor de cualquier contendiente. En su lugar fue puesto en vigor el ya mencionado método de las biografías, muy parco y poco atractivo para que la población haga un uso extendido de ellas. Según nuestras pesquisas en Santa Cruz, sólo un 9% de los entrevistados las consideró una vía efectiva de información, y algo menos de un tercera parte las había leído antes de votar, lo cual ciertamente relega la circulación de la información a los vínculos primarios entre los vecinos, con las probables consecuencias no deseadas en cuanto a la transmisión de estereotipos tradicionales y conservadores. Pero más allá de esta eventualidad, es perceptible que el esquema informativo basado en las biografías, creado para rendir culto a la igualdad de posibilidades, en la práctica proyecta un resultado opuesto, al penalizar a aquellos sectores sociales, como son los casos de las mujeres y los jóvenes, cuyos desempeños en la actividad pública o laboral han sido más discretos que los alcanzados por los hombres adultos.

Probablemente en este punto resida la mayor debilidad del esquema electoral municipal. No se pueden obviar las virtudes de un proceso de selección de liderazgos que ha logrado evitar la demagogia, la mercantilización del sufragio y la fragmentación del sujeto popular en torno a patrones de lealtades partidistas o caudillistas. Pero tendríamos al mismo tiempo que reconocer que la proyección unilateral de esta suma de valores y de conductas políticas ha generado serios obstáculos a la emergencia de un liderazgo dinámico, representativo y capaz de afrontar el reto del poder.

Aunque algunos de estos "resultados no deseados" serán analizados más adelante, pudiéramos referirnos ahora a uno de ellos: la subrepresentación femenina. Es un hecho que el 84% de los delegados electos son hombres, la mayoría de ellos con edades superiores a los 30 años. Si recordamos que esto es el producto de una elección directa y básicamente libre, tendríamos que concluir la prevalencia de patrones discriminatorios de larga trayectoria que asignan a la mujer una multiplicidad de roles reproductivos, limitan su disponibilidad de tiempo flexible para el ejercicio de funciones públicas y se expresan en la conducta electoral mediante la emisión de un voto que favorece al género masculino. Lo paradójico de esta situación es que las mujeres son usualmente reconocidas como las activistas comunitarias más eficaces, y los delegados más exitosos han sido precisamente los que han recabado el concurso femenino.

Hasta qué punto esta anomalía pudiera reflejarse negativamente en la calidad de las políticas locales, es un asunto discutible en la medida en que cualquier representante comunitario recibe un mandato del conjunto social y no de un sector específico —sea genérico, generacional o de cualquier índole— y, en consecuencia, puede crearse la subrepresentación de intereses. Y no cabe duda de que los representantes comunitarios tratan de hacerlo llenos de fuertes dosis de sensibilidad social y sentido de abnegación. Pero al mismo tiempo no es irrazonable creer que la buena disposición de un representante electo no es condición suficiente para el ejercicio de una acción pública que tome en cuenta los complejos requerimientos de sectores cuyas vidas cotidianas, motivaciones y necesidades no son plenamente compartidas.

Por supuesto que habría que reconocer que se han alcanzado logros desde 1976 cuando se estableció el sistema de gobiernos locales) hasta la fecha: una virtual duplicación en la participación femenina en cargos electivos locales, pero también hay que reconocer que estos avances se han realizado tan lentamente que se puede creer que son necesarias acciones positivas más enérgicas. Supondría cambios sustanciales en los mecanismos propagandísticos e informativos del sistema electoral y una articulación más dinámica y autónoma de las organizaciones sectoriales al estilo, para citar un ejemplo, de la FMC. Parece poco posible que se impulsen acciones que sacrifiquen la efectividad de la representación popular en aras de la representación sectorial, y, sin embargo, es poco posible que la sociedad cubana pueda alcanzar niveles más igualitario y renovadores si se relega la corrección al paso espontáneo del tiempo.

Participación y toma de decisiones

Además del acto electoral, la participación popular en el subsistema municipal cubano tiene lugar en varios momentos del proceso de toma de decisiones, desde la formulación de demandas y definición de los problemas hasta la evaluación de las decisiones tomadas. Ello se materializa en acciones diversas como asambleas vecinales, involucramiento en obras de interés social y participación en actividades diversas de fiscalización y control, tales como comisiones, inspecciones populares, etc. En la mayor parte de estas actividades participativas hay un rol significativo de las organizaciones sociales y políticas con asiento comunitario, particularmente de los CDR —el agente comunitario movilizativo por excelencia— y la FMC, y de otras organizaciones menos formales, pero de gran impacto en áreas limitadas, tales como los consejos de vecinos, los consejos de escuelas, las asociaciones de ancianos o los clubes juveniles. Un ejemplo exitoso de vinculación de la población a tareas de fiscalización han sido las llamadas Comisiones de Trabajo, órganos auxiliares de las Asambleas Municipales encargadas de rendir informes sobre la calidad de los servicios sociales o actividades económicas territoriales. Aunque la composición de estas comisiones varía de uno a otro municipio, regularmente son presididas por un delegado e integradas por delegados y ciudadanos simples, estos últimos reclutados por sus posibles capacidades técnicas o especialización en la actividad que debe ser fiscalizada. Se calcula que ello implica a nivel nacional el involucramiento de unos 20 mil ciudadanos simples de forma permanente eventual. Es común que estas comisiones se relacionen con redes de "inspectores populares" voluntarios incidentes en las mismas actividades.

Pero probablemente las actividades participativas más relevantes del entorno comunitario sean las denominadas Reuniones de Rendición de Cuenta (RRC). Las RRC fueron diseñadas como un mecanismo de intercambio de información entre el gobierno y la comunidad (expresión de demandas por parte de la población y explicación por el gobierno de los límites y alcances de su gestión), y al mismo tiempo de discusión colectiva de los problemas locales y de búsqueda de soluciones. Regularmente tienen lugar cada seis meses, son presididas por el delegado de la circunscripción y es usual la presencia en ellas de miembros del gobierno o del aparato administrativo cuando así fuese necesario o requerido por la población.

Regularmente a estas asambleas comunitarias asisten entre el 50% y el 60% de los electores, pero en algunas de ellas la asistencia tiende a disminuir ligeramente con el transcurso de la reunión. Las reuniones se atienen a una metodología que delimita tres fases. Las dos primeras —informe sobre la gestión del gobierno e informe sobre la gestión del delegado— están llamadas a suministrar información para el debate, pero es raro que éste se produzca, sobre todo en la primera fase. En cambio la tercera fase resulta siempre más atractiva y se destina a expresar nuevas demandas y discutir los problemas más relevantes de la comunidad. El tiempo de duración de las RRC varía considerablemente de un lugar a otro, según la complejidad de los temas tratados, la cantidad de los problemas acumulados y de habilidad del delegado para ejercer su dirección, entre otros factores. Pudiera afirmarse que la duración más frecuente es de 50 a 60 minutos. Usualmente sus participantes más activos son las mujeres y los ancianos, precisamente aquellas personas más vinculadas con la comunidad y sus problemas.

Hasta qué punto las RRC satisfacen los objetivos para los que fueron creadas es siempre un juicio relativo. Ante todo, como en el resto de los procesos comunitarios, depende en buena medida del tipo de comunidad y sus pobladores, así como de la habilidad y capacidad de los líderes locales para movilizar recursos y producir un *output* satisfactorio. Por ello no es sorprendente que las RRC sean más dinámicas y participativas en las comunidades pequeñas que en los grandes centros urbanos y particularmente en la capital, donde el concepto mismo de comunidad aparece más diluido y los problemas acumulados son más numerosos y de difícil solución. Por otro lado, y es a lo que nos referimos de inmediato, en todos los casos unos objetivos son cumplimentados con más efectividad que otros.

En primer lugar pudiéramos referirnos a las RRC como mecanismos de expresión de demandas. De acuerdo con nuestras observaciones, las RRC parecen ser una vía legitimada de transmisión de demandas y alimentación del *input* gubernamental, y en este sentido los ciudadanos hacen un uso extenso de ellas.

Ante todo, es de notar que los temas de las demandas producidas en cada municipio corresponden a los tipos de situaciones conflictivas presentes en cada uno de ellos. Al mismo tiempo, aun cuando existen varias vías para la expresión de demandas además de las RRC, de forma directa a funcionarios locales o nacionales o en despachos individuales con los delegados, el 68% de las 6,571 demandas producidas en los 4 municipios entre octubre de 1989 y abril de 1990 habían sido transmitidas a través de las RRC, pero si excluyéramos aquellas demandas con impacto limitado al ámbito familiar o personal, asuntos que las personas prefieren dirimir en escenarios más privados, entonces el índice pudiera elevarse a más del 85%.

El éxito de las RRC como vehículo para la expresión y transmisión de demandas no es nada irrelevante. Ello implica la creación de un espacio de concertación y debate sobre los problemas que afectan la vida cotidiana de las personas y las comunidades, una vía efectiva de información para la toma de decisiones por las autoridades gubernamentales, locales y nacionales. Es difícil que un gobierno local que aspire a un grado mínimo de legitimidad pueda desentenderse de los resultados de las RRC (o de otras vías de expresión de demandas), y ello es perfectamente conocido por los ciudadanos y sus representantes.

Pero reconozcamos que aquí no se agota la evaluación de las RRC sino sólo de uno —el más exitoso— de sus objetivos. En lo que se refiere al flujo de información en sentido inverso —desde el gobierno hacia la comunidad— los resultados han sido más parcos debido a la formalización excesiva de la información brindada, poco atractiva para el ciudadano común. En cualquier caso, ha fijado límites a la capacidad de los ciudadanos para ejercer su derecho a la fiscalización de la actividad pública.

Tampoco podría afirmarse que las RRC han devenido en espacios eficaces de concertación y acción colectiva. De hecho, las RRC aparecen como un momento de interacción comunitaria aislado de otros similares en la sociedad civil. Prácticamente no existen concertaciones previas en unidades comunitarias más pequeñas (organizaciones vecinales, femeninas, juveniles, etc.) que faciliten la articulación colectiva de las demandas, y por tanto éstas son elaboradas y presentadas regularmente de forma individual, aun cuando puedan involucrar intereses más amplios. De las más de 6 mil demandas estudiadas en los cuatro municipios mencionados, sólo el 65% había tenido algún nivel de concertación colectiva. Por tanto, la posibilidad de superar el carácter individual de la demanda se reduce al momento de la RRC y depende en buena medida de la habilidad y capacidad de liderazgo del delegado. No es imposible encontrar casos sobresalientes de líderes comunitarios capaces de aglutinar a sus electores, recabar el apoyo de los sujetos políticos presentes en la circunscripción y poner en marcha proyectos autodirigidos, incluso sin una recurrencia inmediata a las autoridades. Pero estos casos han sido excepcionales. Casi huelga comentar que toda esta situación implica una sobrecarga de demandas sobre las autoridades municipales y, como inevitable contrapartida, una lamentable subutilización del potencial participativo de la población.

Y posiblemente en el poco éxito de su función agregativa de demandas y el aún más parco resultado de las funciones fiscalizadora y concertativa, radique una de las mayores debilidades del proceso comunitario: la pertinencia de una suerte de relación paternalista entre el gobierno por un lado y la comunidad y los ciudadanos por el otro, en detrimento de sus objetivos declarados, o si se quiere, en un plano más estratégico, en detrimento de las metas de una sociedad que aspira al predominio de la acción colectiva y a la autogestión social.

Jerarquías institucionales del gobierno nacional

Dado que en cualquier sociedad medianamente compleja —y los municipios cubanos lo son— la participación no puede limitarse al involucramiento directo de los ciudadanos, sino que implica necesariamente la participación indirecta por representación, conviene detenernos brevemente en el análisis de las relaciones institucionales y su lugar en los órganos representativos. Como anotábamos antes, de acuerdo con la

Constitución y otros documentos normativos, las Asambleas de Delegados constituyen la misma autoridad estatal en cada municipio. Al respecto los diseñadores del esquema del Poder Popular otorgaron a estas instituciones una gama de atributos electivos, fiscalizadores y revocativos sobre el resto de las instituciones municipales; es decir, sobre el Comité Ejecutivo y el aparato administrativo.

De acuerdo con el cronograma formal establecido, las Asambleas Municipales (AM) se reúnen dos veces al año (uno o dos días cada vez), pero en realidad lo hacen con mucha más frecuencia. Según nuestras observaciones los gobiernos locales han complementado este magro cronograma legislativo y con reuniones informales de todos los delegados o de parte de ellos de manera tal que estos se reúnen, discuten los problemas de la comunidad y toman decisiones prácticamente todos los meses. La agenda de las asambleas es determinada por el Comité Ejecutivo respectivo, y sometida a la consideración de los delegados, quienes tienen la potestad de modificarla, aunque raras veces lo hacen, al menos de manera formal, y prefieren introducir sus puntos de discusión en el marco mismo del debate. Sólo en casos excepcionales los niveles superiores, provincial o nacional, indican la inclusión de algún punto de interés para esas instancias.

Según lo observado, las reuniones de la AM se caracterizan por largos y concurridos debates, particularmente cuando se abordan temas relacionados con la vida cotidiana de las comunidades, en los que se despliega un gran esfuerzo en la organización y construcción del consenso sobre el conflicto. Aunque no es usual que se produzcan abucheos u otras muestras de desaprobación ante determinadas intervenciones, los delegados acostumbran a premiar los planteamientos que consideran oportunos con aplausos. Regularmente el trato es respetuoso y las presidencias ejercen un estilo democrático en la conducción de las reuniones.

Además de estas reuniones, las AM tienen otras vías de incidencia en la actividad, las más relevantes son las ya mencionadas Comisiones de Trabajo Permanentes, especie de grupos especializados de delegados y ciudadanos simples, llamadas a inspeccionar y evaluar las diferentes actividades económicas y sociales en los municipios. Las Comisiones se reúnen periódicamente para analizar la evolución de la producción, los servicios económicos y sociales u otros asuntos de interés, sea por iniciativa propia o por petición de la AM o su Comité Ejecutivo, y al respecto emiten dictámenes con recomendaciones que, tras su aprobación por las AM, devienen en obligaciones para todas las instituciones estatales locales. En buena medida las comisiones compensan con su actividad el poco tiempo de reuniones plenarias de las Asambleas.

Un balance objetivo de las Asambleas Municipales indicarían que constituyen un importante espacio de discusión y de toma de decisiones acerca de los problemas públicos de las localidades, así como de representación de los intereses de la población. Si tenemos en cuenta la carencia de una experiencia histórica sostenida de instituciones representativas, también puede considerárseles un notable paso de avance en la construcción democrática, particularmente en sus niveles locales. Sin embargo, sería poco realista afirmar que las AM hayan logrado convertirse en los centros básicos del poder gubernamental. En la vida cotidiana la asunción de este rol ha sido afectado por variables diversas, en ocasiones independientemente de la voluntad políticas de las autoridades locales.

Un primer factor a tomar en consideración es la propia composición de las Asambleas. Como anotábamos antes, estas se conforman de delegados elegidos en las circunscripciones mediante el voto directo y secreto de la población, para la cual los criterios de probable eficacia o *expertise* de sus representantes son secundarios y subordinados a otras consideraciones éticas y políticas. La composición de las Asambleas refleja esta inclinación del voto. Y, en consecuencia, los delegados resultan personas con gran sentido de la representación de los derechos de sus electores, pero con una menos satisfactoria vocación de gobierno, cuyos actos más sofisticados —digamos, la discusión del Plan Económico territorial, la discusión sobre la rentabilidad de grandes empresas o la elección del cuerpo judicial— les resultan incomprensibles o al menos poco atractivos. De aquí que los temas sociales o que afectan más directamente a la población sean los más debatidos en las sesiones asambleístas y que los delegados expresen una abierta preferencia por las reuniones informales con agendas más flexibles y dedicadas a debatir los problemas más existenciales.

Esta situación ha sido agravada por otras circunstancias. Dos de ellas son el alto índice de renovación que sufren las asambleas municipales tras cada proceso eleccionario (algo más del 50% de sus integrantes) y el poco tiempo de duración del mandato, dos años y medio, lo que determina que cada período de gobierno se convierte en un proceso de aprendizaje y entrenamiento que se interrumpe precisamente cuando este último comienza a madurar. Una tercera razón, en la que conviene detenernos brevemente, es el rol que desempeña el Comité Ejecutivo.

Como anotábamos antes, el CE es el representante de la AM entre una y otra sesión, lo que legalmente lo convierte en un órgano permanente depositario del poder estatal máximo y con un doble carácter: administrativo-ejecutivo por un lado y representativo por el otro.

Con el objetivo de satisfacer el primer carácter, cada miembro profesional del CE asume responsabilidades de control y fiscalización sobre un conjunto de actividades sociales y económicas del municipio y, por consiguiente, entra en relación directa con segmentos específicos del aparato administrativo desplegado en el territorio, sea de subordinación local o no. Pero, al mismo tiempo, a fin de garantizar el carácter representativo y la subordinación estricta a las AM, los diseñadores del esquema antepusieron la condición de delegado a la pertenencia al CE, de manera que el escalamiento a esta posición gubernamental tope tuviera que estar avalado de forma indirecta por el voto popular.

La elección del Comité Ejecutivo (de hecho el momento de culminación del proceso electoral municipal) se basa en la presentación a la Asamblea de una lista de candidatos (modificable y siempre un 25% mayor que el número de puestos electivos) por la Comisión Electoral Municipal presidida, como decíamos, por el PCC e integrada por las organizaciones sociales y de masas, y en la que se trata por todos los medios de proponer figuras de consenso, suficientemente prestigiosas para atraer el voto de los delegados capaces de ejercer con mediano éxito las funciones de dirección correspondientes. De esta lista los delgados eligen de forma directa y secreta a los miembros del Comité Ejecutivo, quienes posteriormente se reúnen en privado y eligen los tres cargos máximos: el presidente, el vice-presidente y el secretario.

El método resulta mediado y sería difícil aspirar a un puntaje democrático satisfactorio. Pero, sobre todo, lo que queremos apuntar aquí es que de él resulta regularmente un híbrido que no satisface totalmente ni al carácter representativo ni al requerimiento funcional, y de hecho se diluye algo el poder mayor de los aparatos administrativos locales, en última instancia la institución más estable y por ende más capaz de dar continuidad a las políticas locales.

Pudiéramos discutir infinidad de fórmulas alternas y probablemente ninguna sería totalmente aceptada. Pero, de cualquier manera, es indiscutible que si los gobiernos municipales tratan de lograr una institucionalidad más democrática y eficiente, no podrán prescindir de técnicas electorales más abiertas y participativas que las existentes.

Por supuesto que la posibilidad de la AM para constituirse en la suprema autoridad estatal en cada territorio no se agota en la discusión de sus relaciones con otras instituciones municipales, y está directamente vinculada al sensitivo problema de la real autonomía del gobierno municipal para ejercer gobierno y no sólo para administrar funciones delegadas por el aparato central.

La capacidad para gobernar

Al evaluar las capacidades reales de gobernar de que disfrutan los órganos locales de gobierno, es imposible evadir una primera consideración. Si comparamos la situación actual con la existente antes de 1976, es perceptible un gran paso de avance en la descentralización del aparato de administración pública cubana. Cualesquiera que fuesen sus debilidades presentes, a lo cual nos referiremos más adelante, es indudable que los gobiernos locales disfrutan de importantes prerrogativas tales como la posibilidad de incidir en la confección de los planes económicos territoriales y de los presupuestos locales, en adoptar políticas y acciones de fuerte incidencia en el plano local o de actuar como vectores de planes de desarrollo nacionalmente diseñados. Esto es muy significativo en un país donde dos décadas atrás todo era regido de manera centralizada, a lo sumo mediante instituciones delegadas con casi ninguna capacidad para tomar decisiones.

Como anotábamos antes, en el territorio municipal es posible encontrar la coexistencia de diversos niveles administrativos, los que se presentan de forma no uniforme en los diferentes municipios. Así, además de las organizaciones administrativas propiamente municipales, se encuentran otras de subordinación provincial o nacional, lo cual configura un mosaico bastante abigarrado con repercusiones notables en el desempeño funcional del gobierno local.

Para situar un ejemplo gráfico, en un municipio de medianas dimensiones de los sometidos a estudio existía un total de 15 entidades de subordinación local, incluyendo 6 empresas (construcción de viviendas, cafeterías y restaurantes, comercio minorista, servicios a la población, etc.) y otras tantas entidades proveedoras de servicios sociales (unidades presupuestadas) subsidiadas por el Estado tales como las direcciones de educación, salud, finanzas, seguridad social y trabajo, etc. Al mismo tiempo, en todo municipio existen instituciones de subordinación provincial, cuyo radio de acción sobrepasa el ámbito propiamente municipal, pero que prestan servicios a este nivel, donde se organizan en forma de establecimientos. En el municipio en cuestión, que es al mismo tiempo una cabecera provincial, el número de establecimientos llega a las varias decenas, cifra ésta que disminuye considerablemente en las localidades que no son sede de gobiernos provinciales. En este rubro se incluirían empresas como las productoras menores de materiales de construcción, las industrias alimenticias y hoteles de menor rango, etc. Por último, también se ubican en el territorio un conjunto de empresas o unidades presupuestadas de incidencia nacional y que por tanto tienen en este nivel su tipo de subordinación. En el caso descrito éstas serían una docena de unidades tales como termoeléctricas, complejos agro-industriales, etc.

Esto plantea una primera dimensión conflictiva en la capacidad de las instituciones municipales para ejercer gobierno sobre el territorio: la asimetría de los poderes administrativos dispersos en él.

Los establecimientos han surgido como consecuencia de la extinción de empresas municipales o simplemente porque se consideraba que era poco realista crear una empresa (con la consiguiente creación del aparato burocrático correspondiente) para actividades de poca relevancia cuantitativa. En general ha podido percibirse que los municipios ejercen (o tratan de ejercer) influencia sobre estos establecimientos, pero dado que las normas empresariales vigentes establecen que los mismos no son área de toma de decisiones, su incidencia, aunque mayor de la que se puede ejercer sobre las empresas nacionales, es siempre limitada aun cuando se trate de establecimientos productores de servicios vitales para la población.

Una empresa nacional es regularmente una unidad con recursos materiales y humanos tan grandes o mayores que los de cualquier municipio, especialmente si se trata de localidades de dimensiones modestas. Sobre ella el gobierno municipal puede ejercer una influencia limitada, oficialmente calificada como de "cooperación" o "ayuda", llamada a ser ejercida a través de un grupo de órganos especializados tales como las direcciones municipales de finanzas, trabajo y seguridad social, estadísticas, etc., a la vez que percibe ciertos beneficios tributarios de sus ganancias.

En la práctica, sin embargo, la relación municipios-empresas nacionales ha sido más rica y fructífera que lo programado. De hecho una empresa nacional no puede prescindir de los servicios del municipio, quien le provee de insumos vitales incluyendo la fuerza de trabajo, lo que no le permite aspirar a no ser afectado por las necesidades municipales. Tales relaciones se expresan de manera espontánea mediante la transferencia de recursos humanos y materiales hacia los municipios en función de obras sociales, o en la utilización de producciones secundarias de la empresa para satisfacer determinadas demandas del mercado local.

No son pocos los casos que pudieran citarse en favor de relaciones empresas-municipios con impactos positivos sobre las comunidades. Sin embargo, el hecho de que estas relaciones sean básicamente espontáneas y que legalmente el ámbito de acción municipal sea bastante discreto, hace depender la capacidad real de gobierno de variables oportunas tales como la habilidad de regateo de las autoridades locales o la buena voluntad de los directores de empresas, condiciones que no tienen que estar presentes obligatoriamente en cada espacio y que siempre pueden resultar frágiles. Por supuesto, esto no es ajeno a otra cuestión que sobrepasa el ámbito municipal, y que está ligado a un problema clave de la organización económica cubana: el grado real de autonomía de las empresas para tomar las decisiones imprescindibles en su área de acción.

Una segunda dimensión conflictiva está ligada al poder de que disponen los gobiernos locales para ejercer control real sobre las actividades oficialmente definidas como de subordinación local, y que, como decíamos, son aquellas que más directamente enfrentan las necesidades de la vida cotidiana: salud, educación, distribución de productos alimenticios, construcción de viviendas y otras obras de uso social, servicios culturales y deportivos, etc. De acuerdo con el diseño original, estas actividades se rigen por una "doble subordinación", que implica el control administrativo por parte del gobierno municipal, pero atenido a una serie de "indicaciones metodólogicas" impartidas por el gobierno central y supervisadas por el gobierno provincial a través de estructuras homólogas.

El principio de la doble subordinación no es errado, y supone la necesaria atención técnica a los servicios descentralizados para evitar despilfarros materiales o baja calidad de los servicios y para proveer a las nuevas autoridades locales de un espacio de aprendizaje de sus tributos y funciones. La forma en que fue concebido inicialmente dejaba en realidad poco espacio a la iniciativa local, lo cual resultaba al menos explicable en un contexto de creación de nuevas instituciones.

Tres lustros después, las prerrogativas de la "subordinación metodológica" —cuando los cuerpos municipales han logrado desarrollar habilidades suficientes— se muestran excesivas, y sobre todo porque han potenciado tendencias centralizadoras por parte de los gobiernos provinciales —en una regiones con más fuerza que en otras— que incluso rebasan los lineamientos originarios y han cercenado las prerrogativas municipales en nombre de una supuesta eficiencia administrativa.

En este contexto la capacidad de los gobiernos locales para ejercer no solamente la administración, sino el gobierno, y en consonancia retener suficientes capacidades decisorias y coactivas, ha tenido un desempeño discreto. En general, los gobiernos municipales han quedado al frente de aquellas tareas más directamente vinculadas a la vida cotidiana, más afectadas por las demandas de la población y con pocos recursos para dar una respuesta efectiva, más aún si tenemos en cuenta que sus capacidades para movilizar recursos locales -humanos y materiales- aparece limitada por las "metodologías" orientadas a nivel central y por las acciones centralizadoras de las provincias. En consecuencia sólo tipos de acciones muy imaginativos pueden salvar a los líderes y a las instituciones locales de sufrir el efecto deslegitimador de la incapacidad para adoptar decisiones.

Contrariamente a lo que podría suponerse, aquí el rol de los Comités Municipales del Partido Comunista es significativo para proteger y consolidar la autoridad del gobierno local. Es así no sólo por el gran peso político que tiene el PCC sino por el dato más práctico de que éste es la única institución a nivel local cuya jurisdicción se extiende a todo el sistema económico y de toma de decisiones del territorio, incluyendo por supuesto a las poderosas empresas nacionales. Probablemente por ello el 77% de los delegados encuestados manifestaron satisfacción por el rol del Partido en la gestión de gobierno a pesar de que un tercio de ellos consideró que efectivamente aquél se involucraba en este tipo de actividad.

Las perspectivas

Posiblemente no existe en nuestro continente un sistema de gobiernos locales tan vigoroso y participativo como el que hemos tenido oportunidad de examinar en páginas anteriores. A pesar de las limitaciones de recursos —materiales y humanos— y de otras obstrucciones ya mencionadas, los municipios cubanos han devenido en un mecanismo eficaz para el desarrollo local y para la satisfacción de las necesidades cotidianas de la población, sea mediante iniciativas locales o como vectores de planes nacionales. No menos relevante ha sido su rol como un capítulo en el proceso de construcción democrática.

Sin embargo, quince años después de implantado, el sistema de gobiernos locales muestra suficientes lados flacos como para suponer que su reorganización y revitalización se ha convertido en una tarea de primer orden. Precisamente este "perfeccionamiento" de los órganos locales de gobierno fue tempranamente incluido como un punto sobresaliente en la agenda del proyecto de renovación socialista conocido como Proceso de Rectificación y, en consecuencia, como un tema polémico dentro de los diferentes niveles políticos, administrativos y académicos.

Un primer escenario de renovación parte de su dimensión participativa. Como hemos anotado en páginas anteriores, y a pesar de sus reconocidos logros, el esquema participativo de los municipios cubanos ha sido limitado por la excesiva formalización y la burocratización, de manera que el resultado final ha quedado por debajo no sólo de lo deseado sino también de lo programado en el diseño original. En consecuencia, el esquema ha potenciado el desarrollo de una cierta relación verticalista-paternalista gobierno local-comunidad en un entorno básicamente parroquial. Son aún pocas las experiencias sostenidas de autogestión comunitaria como también es pobre el necesario enfoque diferencial en la convocatoria participativa. No menos negativo ha sido el parco desempeño de los atributos legales de las instituciones representativas como supremas autoridades estatales en sus respectivos territorios. Como es lógico suponer, la superación de estos puntos débiles pasa inevitablemente por un conjunto de acciones específicas dinamizadoras y desformalizadoras de los espacios participativos, así como de reacomodos institucionales específicos, a los cuales nos hemos ido refiriendo en el cuerpo de este artículo. Pero más que a estas anotaciones puntuales, quisiéramos referirnos a lo que podemos llamar un principio sustancial básico: la apertura y despliegue de un estilo político con una vocación pluralista más definida y, en consecuencia, con una mayor autonomía de la sociedad civil.

Desde el punto de vista lógico el problema parece bien sencillo: toda sociedad es diversa —clases, géneros, generaciones, etc.—, y por ello la actividad pública democrática sólo puede expresarse mediante el pluralismo. Políticamente el asunto es más complejo, entre otras razones por el rechazo profesado por buena parcela del marxismo al concepto mismo de pluralismo, y por el uso parcializado que la academia liberal ha hecho del asunto.

En el caso de la Revolución Cubana esta situación tuvo además un fuerte condicionante histórico. Aun cuando desde los primeros años existieron políticas diferenciadas hacia determinados sectores —el caso de la mujer es ilustrativo— es indudable que la unidad en torno al concepto del "Pueblo", más que el acento en la diversidad, aparecía como la garantía ineludible de la agenda revolucionaria. Tres décadas después esa unidad sigue siendo vista, pero reconozcamos que no ha estado exenta de resultados no deseados marcados por el "irreal afán de la unanimidad" y la erección del falso monolitismo como demostración del éxito de cualquier convocatoria política.

Por supuesto que la potenciación pluralista no implica su reducción vulgar al paradigma multipartidista, como tampoco significa elevar este último al status de una meta histórica nacional. Numerosas razones históricas concretas y teóricas nos inducen a creer que el ordenamiento pluripartidista no sólo sería impertinente en cuanto a garantizar la gobernabilidad en condiciones de asedio externo imperialista —argumento frecuentemente usado por la dirección política nacional— sino también ineficaz para los fines de la construcción democrática participativa.

Abrir un espacio al pluralismo socialista implica, ante todo, una mayor autonomía de las asociaciones políticas insertas en la sociedad civil, cuyo rol no puede ser reducido al de la desgastada correa de transmisión en una sola dirección, de arriba hacia abajo. Implica también una reformulación de los esquemas de representación a nivel de los órganos estatales. E implica, por último, el reconocimiento del conflicto como un momento en la construcción y dirección del consenso, y su solución mediante espacios más amplios y sistemáticos de debate público, tanto dentro como fuera del Partido, cuyo rol de dirección política, como ha sido reconocido públicamente, requiere un sustancial perfeccionamiento.

Un segundo escenario de renovación tiene que ver con la condición municipal como un segmento del sistema de administración pública con poder suficiente para gobernar en el marco de su jurisdicción territorial. O, dicho en otros términos, el problema de la relación descentralización- centralización.

Como anotábamos al inicio, esta relación contradictoria (o como se designa regularmente en los documentos oficiales: "el logro de un acertado balance entre la centralización y la descentralización") ha cobrado un especial interés en los momentos actuales, y no sólo en lo que se refiere a los espacios municipales. La actual coyuntura, marcada por una extrema agudización de las condiciones económicas internas y externas, no son ciertamente el contexto más apropiado para cimentar un consenso en torno a la descentralización y sus virtudes, para algunos un lujo muy sofisticado cuando se discuten cuestiones tan sensitivas como la sobrevivencia nacional.

En cambio, no sería difícil hallar una lógica opuesta. El éxito comprobado de los gobiernos municipales para satisfacer un conjunto de necesidades sociales cuando han contado con espacios suficientes para la planificación local, la toma de decisiones y la movilización de recursos humanos y materiales, constituyen el alegato más inmediato que podría esgrimirse a favor de mayores dosis descentralizadoras en el sistema político y administrativo cubano. Si éste no bastara, debiera recordarse que, en las actuales circunstancias nada halagüeñas que condicionan el escenario nacional, el despliegue de iniciativas y la extracción de recursos locales se erigen como variables importantes para la sobrevivencia.

En un plano de más larga proyección es improbable que un sistema que se plantea como metas finales la autogestión social y la plena realización del individuo, pueda renunciar a una acción que supone el acercamiento del poder al ciudadano concreto, y sus correlatos ineludibles tales como un mayor dinamismo de la sociedad civil, una circulación más amplia de la información y el despliegue horizontal de la comunicación política, etc., y en esa medida motivar su involucramiento público y aumentar su control (o capacidad de incidencia) sobre un abanico de esferas que van desde los aspectos más cercanos de la vida cotidiana hasta las decisiones de alta política.

Claro está que estamos lejos de afirmar que la solución de los numerosos obstáculos que enfrenta hoy el proyecto socialista cubano puede ser reducido al funcionamiento del entramado local, o, desde una perspectiva sistémica, a la construcción de un orden democrático más participativo, pluralista y descentralizado. De por sí, ninguna de estas propuestas es inequívoca y de cualquier manera los problemas afrontados por la sociedad cubana son muy diversos y de variados signos. Lo que queremos apuntar es que ninguna solución global podrá prescindir de los fines democráticos y participativos aquí expuestos, y que más que cualquier efectividad económica o eficiencia tecnocrática, la principal garantía de la continuidad socialista continuará residiendo en su capacidad para no renunciar a su meta histórica de construir un entramado de realización humana sin precedentes en la historia y, por supuesto, de considerar esta construcción un punto inexcusable de la agenda cotidiana.

100

CAPÍTULO 5

SOCIALISMO, EMPRESAS Y PARTICIPACIÓN OBRERA

Haroldo Dilla Alfonso

El objetivo de este trabajo no podría ser una revisión exhaustiva del fenómeno de la participación obrera en Cuba durante más de tres décadas de construcción socialista. Esto sería, sin lugar a dudas, una investigación de largo plazo que ameritaría un lugar muy especial en las ciencias sociales cubanas. En su lugar, he preferido detenerme aquí en los que considero son algunos puntos que han resultado neurálgicos dentro de la agenda socialista cubana: la participación obrera en los centros de trabajo (por consiguiente, también el rol de los sindicatos) y, sobre todo, en los nuevos retos que pudieran erigirse en un futuro previsible.

Por supuesto que no se puede pasar inadvertida la delicadeza del tema, ya que se refiere a un proceso eminentemente político que implica el traspaso al control de los trabajadores de una serie de decisiones básicas atinentes a sus espacios laborales, ante todo como productores, pero también como consumidores de un entorno habitacional en el que regularmente completan sus existencias cotidianas. Huelga advertir que estamos hablando del siempre sensible tema de la distri-

101

bución del poder y, en consecuencia, de primera importancia para todos los actores involucrados en la actividad laboral cualesquiera que fuesen los signos de su entorno social.

En el caso específico de las experiencias de transición socialista (de lo cual Cuba resulta un ejemplo), la discusión sobre la participación de los trabajadores en la dirección de las empresas y centros de trabajo cobra una relevancia singular, y ha cruzado persistentemente a las diferentes parcelas del pensamiento socialista. Las razones son obvias, dado que estamos hablando de un proyecto de cambios que ha postulado como meta el "autogobierno de los productores" y adoptado a esas clases trabajadoras como los sujetos históricos de las transformaciones sistémicas programadas.

De hecho la participación obrera estuvo inscrita desde sus inicios entre las metas democráticas de la Revolución Cubana, y de alguna manera ha sido enarbolada en cada período distinguible del proyecto socialista. No es un dato intrascendente, no sólo por las bondades de la retórica (nada desdeñable en la política), sino sobre todo porque ha dotado a la sociedad cubana de un entramado nacional de participación que, a pesar de sus muchos puntos débiles, no tiene parangón en otra experiencia continental y ha contribuido al desarrollo de una cultura política democrática y participativa entre los trabajadores.

Sin embargo, más allá de la voluntad política y de los logros alcanzados, tal propuesta participativa ha sido duramente afectada durante las tres décadas de vida revolucionaria dificultando la estabilización y sucesivo perfeccionamiento de las prácticas establecidas. En un primer plano, ello ha sido el resultado de las percepciones cambiantes de los líderes políticos nacionales acerca de cómo organizar y dirigir la economía, tanto en el entorno internacional, regularmente desfavorable, como en las metas político-ideológicos subyacentes en el proyecto. En este contexto resaltan las continuas fluctuaciones en las definiciones sobre las formas de articulación de la planificación y el mercado y los grados de centralización (y descentralización).

No menos significativas han sido las transformaciones que han sufrido los sindicatos. En los primeros años siguientes a 1959 los sindicatos cubanos experimentaron una radical inserción en el nuevo proyecto revolucionario y patriótico que implicaba cambios drásticos en cuanto a sus estructuras organizativas, liderazgos y roles, lo cual fue básicamente concluido en el XI Congreso de la Confederación de Trabajadores de Cuba (CTC). Estos nuevos roles fueron asumidos con éxito durante la primera mitad de la década de los ochenta, particularmente en lo que se refiere a funciones implementativas y de apoyo al nuevo poder popular y el ejercicio de ciertas formas embrionarias de cogestión limitadas por el alto nivel de centralización en la toma de decisiones y las discretas cuotas de autonomía sindical, por lo demás explicables por las tensiones propias del período.

A partir de 1967 este esquema sufrió un vuelco al calor de las nuevas percepciones de la dirigencia política nacional acerca de la necesidad de incrementar el ritmo del desarrollo y de saltar ciertas fases históricas en aras de arribar a la meta comunista. La asistematicidad contenida en esta propuesta condujo a lo que Isy Joshua evaluó como una peculiar combinación de "centralización autoritaria" con manifestaciones de cierta "descentralización anárquica" que se producía en las bases empresariales como respuesta adaptativa espontánea a la irracionalidad del plan. En tal contexto, los sindicatos virtualmente desaparecieron en la consideración de que eran innecesarios en un sistema de gobierno de los trabajadores.

Como consecuencia de los efectos negativos esperables de tales propuestas, desde mediados de los setenta se inició lo que se ha conocido como Proceso de Institucionalización, un proyecto muy rico y multifacético de cambios socialistas que en el área que aquí nos ocupa adoptó el primer sistema coherente de dirección económica —el Sistema de Dirección y Planificación de la Economía, SDPE— y estableció reglas de juego más estables y definidas acerca de las vías y formas de participación de los trabajadores en los centros laborales.

El SDPE —que esencialmente se pronunciaba por un uso más extendido de las relaciones mercantiles— tuvo un desempeño errático y tuvo muy pocos defensores cuando, cerca de una década después de su implantación, fue sometido a fuertes críticas en el marco del oficialmente denominado Proceso de Rectificación de Errores y Tendencias Negativas.

Al final de este capítulo vamos a limitar nuestra explicación a los cambios ocurridos en los últimos tres lustros, es decir en el período en que estuvo en vigencia el SDPE (1976-1986) y durante la puesta en marcha del Proceso de Rectificación y su continuación en el llamado Período Especial. Un programa de ajustes en consonancia con la agudización de las condiciones económicas nacionales.

Un primer dato a tomar en consideración para el tema que aquí nos ocupa fue la reconstitución de los sindicatos a partir de 1970 y la aplicación interna de normas más democráticas en la selección de los liderazgos y en la organización de la vida gremial. Al mismo tiempo, la institucionalización era portadora de un proyecto de reorganización del sistema político que contemplaba la delimitación más estricta de los roles del Partido Comunista, el Estado y las Organizaciones Sociales y de Masas, y que estaba llamada a producir una perfilación más adecuada de las funciones sindicales y la autonomía suficiente para su realización. Este proceso de reconstitución quedó básicamente concluido durante el XIII Congreso de la CTC en el verano de 1973.

Al mismo tiempo, estas funciones deberían realizarse en un contexto económico más estable y descentralizado en el marco del Sistema de Dirección y Planificación de la Economía (SDPE). A partir de 1975 se inició un proceso de reestructuración empresarial que hacia 1979 abarcaba 2,908 empresas (proveedoras de servicios económicos o productivas) y unas 1,300 unidades de servicios sociales (presupuestadas). El esquema empresarial propuesto sugería la disminución paulatina del número de empresas por fusión o por articulación de varias de ellas en "uniones de empresas", proceso que debería ser paulatino y dictado por las necesidades de la producción y la comercialización, y estaba llamado a marchar simultáneamente a la entrada de las empresas en las normas y procedimientos del cálculo económico y del principio de autofinanciamiento, con un uso más extendido de la estimulación material al trabajo.

Por consiguiente, las empresas fueron dotadas de cierta autonomía concebida como de orden técnico-operativo, con derecho a iniciativas en esferas como la contratación de mano de obra, la venta de algunas producciones marginales o bienes ociosos, etc. Al mismo tiempo la aplicación del cálculo económico les otorgaba mayores capacidades ejecutivas en torno al plan y una mayor participación en las decisiones para su conformación, entre otros atributos.

Esta descentralización empresarial moderada iba acompañada por la intención de ampliar los espacios de participación obrera, sea mediante la creación de nuevos mecanismos de involucramiento o incorporando otros ya en uso desde la década anterior. En buena medida este diseño participativo también aparece formulado en el XIII Congreso de la CTC, en 1973, y abarcaba acciones disímiles como la participación sindical en los consejos de dirección de los departamentos y empresas, la elección de consejos de trabajo encargados de mediar en los conflictos laborales, la celebración de asambleas de producción y servicios, el involucramiento de los trabajadores en las innovaciones técnicas empresariales, la concertación y discusión de convenios colectivos de trabajo, etc.

Partiendo de una concepción de la participación como un continuo referido a los procesos de toma de decisiones, pudiéramos identificar en este esquema varios momentos que implicaban un fuerte involucramiento de los trabajadores, no sólo en lo referente a la implementación de decisiones, sino también en la identificación de los problemas y en el control y evaluación de las decisiones que exigen un componente técnico más sofisticado, tales como la preparación y discusión de variantes de solución y la selección de la opción a ser aplicada, etc.

Un escenario tan auspicioso no podía menos que inflamar el entusiasmo de los sindicalistas cubanos. Ello tuvo un reflejo neto en el XIV Congreso, celebrado en 1978. La implantación del SDPE ofrecía la oportunidad para "la conjugación de la centralización de las decisiones fundamentales con la participación de las administraciones, de las empresas, de las instancias intermedias y de los trabajadores en la planificación y en la gestión económica, y la concesión de cierta autonomía a las empresas para la adopción de decisiones de carácter económico operativo por todo lo cual permitirá en gran medida enriquecer el contenido de las asambleas de producción de servicios evaluadas como el más importante instrumento para relacionar directamente a los trabajadores con la gestión económica en su empresa". Estos resultados se hacían depender, con sobrada razón, de la creación de un flujo dinámico de información económica indispensable.

La participación de los trabajadores en la discusión del plan fue extendiéndose como práctica común en todas las empresas y unidades presupuestadas. En 1978 el 35% de los centros de trabajo no convocó a asambleas de producción y servicios y de las que sí lo hicieron sólo el 42% revisó sus cifras de acuerdo con las sugerencias de los participantes. Un año después, en 1979, sólo el 9% de los centros de trabajo no había discutido el plan y un 59% había tomado en cuenta los planteamientos de los trabajadores. En 1980 el plan había sido discutido por cerca del 95% de los centros de trabajo y había aumentado significativamente el porcentaje de aquellos que habían asimilado las propuestas de la base u ofrecido respuestas satisfactorias en caso negativo a partir de su inserción ventajosa al sub-mercado soviético y del relativamente fácil acceso al mercado mundial de capitales.

Es revelador que en el último balance del SDPE, efectuado en 1985, se apuntaran deficiencias a la gestión empresarial tan variadas (y estratégicas) como el insuficiente uso de la contabilidad y las estadísticas, sobre todo en lo referente a un indicador esencial como los costos; subutilización del análisis económico como instrumento de dirección de manera que "... la dirección empresarial se desarrolla más en el campo de las decisiones administrativas, sin que las valoraciones económicas de las alternativas posibles desempeñasen un papel relevante en la toma de decisiones"; estancamiento o formalización burocrática del paso a formas superiores como las uniones de empresas; bajo nivel del control de la calidad; poca preparación técnica de los cuadros; atrasos considerables en la normación del trabajo, etc.

En este contexto de atributos cercenados, débil rectoría de los organismos administrativos superiores, burocratización del plan y condicionamientos políticos, la discreta autonomía empresarial contenidas en el SDPE acarreó resultados perversos muy diferentes a los deseados, expresados no sólo en pobres desempeños económicos (ni todos los logros económicos fueron reales, ni todos los logros reales se consiguieron en aquellas áreas que habrían motivado un crecimiento autosostenido de la economía), sino también en cuanto a la obliteración del desarrollo de una cultura política socialista en los trabajadores.

Probablemente el mejor ejemplo ilustrativo de esta situación sea el proceso de normación del trabajo concebido como una vía para estimular el incremento de la productividad, y en consecuencia producir una relación racional entre los resultados del trabajo individual y colectivo y los montos de las compensaciones, una base elemental sobre la que se asienta la autoidentificación del trabajador con el proyecto social en su conjunto. En el balance efectuado en 1980 se detectó que sólo el 59% de los puestos de trabajo estaban normados, por lo que se explicitó el propósito de concluir la normación en dos años como máximo y avanzar en una concepción científica de este proceso. En 1985 aparecían como normados un total de 1.3 millones de trabajadores, pero el 80% de las normas existentes eran elementales, es decir apoyadas exclusivamente en la apreciación empírica. Pero al mismo tiempo el subsistema de organización de trabajo operaba con la astronómica cifra de 3 millones de normas y unos 14 mil calificadores de cargo. La precariedad en la conformación y revisión de las normas de producción condujo a situaciones tales que ya en 1980 el cumplimiento promedio nacional era del 109% y en 1985 del 117%. Ello, conjuntamente con el abuso de otros mecanismos de estimulación material como los premios por sobrecumplimiento de los planes económicos, generó un flujo de ingresos monetarios muy altos, sin que existiera una contrapartida real de la producción material y de servicios.

No podríamos hacer aquí un balance completo de la situación creada. Sólo podríamos apuntar, para dar una idea de su magnitud, que se produjo un crecimiento inusitado del personal burocrático, la penalización material de aquellas empresas con planes de producción más tensos o no rentables pero estratégicos para la sociedad, al mismo tiempo que otras empresas mejor ubicadas en el circuito de los servicios comenzaron a actuar como depredadores sociales en función de mayores ganancias. Planes importantes de gran impacto social –como la construcción masiva de viviendas o de unidades de servicios educacionales y médicos– fueron relegados a un segundo plano. La burocratización, rigidez y mercantilismo se asociaron en beneficio de la apatía y la alienación, las cuales fueron en aumento en la misma medida en que se hizo tangible que ciertos éxitos económicos se reducían al alegre juego de las estadísticas.

Por consiguiente era predecible que el entusiasmo de los sindicalistas respecto a las posibilidades participativas que les brindaba la descentralización empresarial, se trocara en cierto desencanto cuando en 1984 fue celebrado el XV Congreso de la CTC. Por supuesto ello no implicaba el retroceso (o degradación) de todas las conquistas democráticas del movimiento obrero en el Proceso de Institucionalización. Pero es innegable que la proyección optimista de una participación activa de las bases trabajadoras en la confección y control del plan económico de las empresas quedó suspendido de la centralización excesiva, de los entrabamientos burocráticos y de la concepción mercantilista; aun cuando los propios sindicalistas no pudieron aquilatar el problema en toda su magnitud.

Según los documentos emitidos, hacia 1984 la discusión del plan por los trabajadores en las empresas adolecía de dificultades como demoras en los flujos de información sobre las cifras propuestas para el plan, mala calidad de las cifras (generalmente no desagregadas por actividades y unidades dentro de la empresa lo que obligaba a los trabajadores a discusiones generales con poca concreción) y desatención por las administraciones y las instancias superiores de las sugerencias y críticas emitidas en las asambleas, todo lo cual "genera una justificada irritación entre los trabajadores al considerar que se subestiman sus opiniones y sugerencias (y) conspiran contra el propósito de lograr cada vez en mayor medida su activa y consciente participación en la planificación y en todo lo concerniente a la gestión económica".

Estas condiciones desfavorables parecen haberse mantenido durante los años siguientes a juzgar por las valoraciones emitidas por la alta dirección sindical. Hacia noviembre de 1985, Roberto Veiga, entonces máximo dirigente de la CTC, reportaba un balance poco sonriente de deficiencias tales como informes administrativos poco relevantes, falta de respuesta a los problemas planteados por los trabajadores, ausencia de los dirigentes administrativos a las reuniones, no desagregación de las cifras del plan, no aplicación de iniciativas, entre otras calamidades que otorgan todo el crédito a una sucinta afirmación del periódico de los sindicalistas locales: "la planificación de la economía en Cuba se ha caracterizado por la tendencia hacia la burocracia y la formalidad".

Sin embargo, ya por entonces el SDPE y su baluarte institucional, la Junta Central de Planificación, comenzaron a ser objeto de un balance más detenido por parte de la dirección política nacional. En diciembre de 1984, al calor del deterioro del clima económico, fue formado el Grupo

Central de la Economía, integrado por el consejo de ministros, los presidentes provinciales del poder Popular y altos funcionarios económicos del Partido, y con atributos tan significativos como la reestructuración de los planes de corto, mediano y largo plazo. Unos meses más tarde se produjo la remoción de la alta dirección de la JUCEPLAN y de otros organismos centrales. En marzo de 1986 comenzó oficialmente el llamado Proceso de Rectificación de Errores y Tendencias Negativas.

El Proceso de Rectificación puede ser clasificado de variadas maneras, según el ángulo de observación. Desde una perspectiva puramente económica ha resultado un intento de producir un deslizamiento sin grandes sobresaltos de cara a la crisis económica que comenzó a despuntar a principios de los ochenta. Pero al mismo tiempo, ha constituido un proyecto de renovación que implicaba cambios sustanciales en el sistema político, tales como la desburocratización de numerosos canales políticos y de participación, y el perfeccionamiento de la democracia socialista. De aquí proviene el debate más amplio producido en la historia revolucionaria, en torno al Llamamiento al IV Congreso del Partido, en el cual la población cubana fue convocada, no a discutir acerca de la agenda del Congreso, sino a informar esa agenda.

En este contexto los sindicatos fueron objeto de un proceso de simplicación de sus estructuras profesionales, desburocratización de sus métodos, ampliación de los esquemas de elecciones y discusión internas, y otorgamiento de mayor autonomía a las instancias intermedias y de base. De igual forma, la necesidad de una participación obrera más sustantiva fue enfatizada en la misma medida en que el SDPE era sometido a críticas y enmiendas puntuales.

De cualquier manera, la Rectificación sólo tuvo algo más de tres años para desplegar sus potenciales renovadores, antes de ser acotada por las crecientes dificultades económicas catalizadas por la agudización (y finalmente liquidación) de las relaciones económicas con el este europeo y la Unión Soviética, así como por la agudización las acciones hostiles norteamericanas. Aun cuando sus propuestas han permanecido de alguna manera en el discurso político, es innegable que el programa de la Rectificación fue desbordado por la necesidad de adoptar un plan de ajustes anticrisis dirigido a garantizar la sobrevivencia nacional y un marco propicio para un futuro despegue, lo cual ha sido conocido como Período Especial.

En este contexto crítico tanto la participación obrera como los sindicatos han experimentado un nuevo proceso de adaptación. En el primer caso, la participación obrera ha sido afectada por el signo recentralizador predominante — situación que ha sido percibida como la más funcional a los requerimientos del Período Especial— o por el menor acceso a otras atribuciones descentralizadas, regularmente confiadas a áreas técnicas capaces de producir respuestas más rápidas y flexibles. Esto, por supuesto, no implica la supresión de los mecanismos existentes e incluso ha conllevado la creación de otros órganos integrados por obreros elegidos en asambleas encargadas de regular las políticas de empleo, promociones y prescindencia de empleados. Pero es indudable que esta nueva adaptación supone necesariamente cierto constreñimiento cualitativo de los espacios de debate y de participación obrera y sindical, al menos en relación a como habían sido diseñados en años precedentes.

Es interesante observar que en el XVI Congreso de la CTC (celebrado a principios de 1990) se colocó un énfasis mayor en temas como el apoyo a actividades definidas como prioritarias (movilización de trabajadores para tareas agrícolas o de construcción, etc), la búsqueda de soluciones técnicas a problemas concretos de la producción (particularmente en la sustitución de importaciones) y a la obtención de mayores niveles de productividad (consagración al trabajo) sobre la base del accionar ideológico, la exigencia colectiva y el desmontaje de la legislación paternalista vigente.

Por supuesto que la constriccción de la agenda participativa en los centros de trabajo, y en cierta medida el retorno a los esquemas de la década de los ochenta, no son de manera alguna una virtud. Pero sería poco realista oponer a esta realidad tensa y precaria un pequeño ideal de participación, en momentos en que lo que se discute es la propia capacidad de la Nación Cubana para sobrevivir. Sin embargo, en la misma medida en que sobrevivir significa avanzar, no faltan en la realidad cubana contemporánea signos de cambios que van más allá de la coyuntura, y que no podrían ser obviados cuando se trata de la construcción de una democracia socialista y participativa.

El problema principal que afronta la sociedad cubana contemporánea es cómo lograr una inserción favorable en la economía mundial, que es decir en la economía capitalista mundial. Al respecto, se han diseñado políticas de atracción de inversiones extranjeras en los servicios y la producción, que indudablemente deberán producir cambios sustanciales en la forma en que se organiza la producción material y de servicios en sectores que pudieran devenir los más dinámicos de la economía nacional. En la misma medida en que ninguna economía se organiza en estancos particulares, sino como un sistema de vasos comunicantes, estos cambios deberán repercutir en el resto de la economía nacional, obligada a buscar niveles de eficiencia competitivos a nivel mundial y, en consecuencia, a adoptar los mismos patrones tecnológicos y organizacionales que el área semi-privada.

Huelga apuntar que eso implica para los sindicatos su relanzamiento en un nuevo marco contradictorio, no necesariamente entre el capital y el trabajo (el cual puede ser mediado por el Estado incluso allí donde ese capital tiene una presencia efectiva), sino entre un Estado socialista que precisa altos niveles de acumulación y conduce su actividad bajo dictados tecnológicos y de productividad alentadores de esquemas de utilización intensiva de la mano de obra.

La búsqueda de nuevas tecnologías organizacionales y productivas en la economía interna ha tenido su experiencia más sostenida (y divulgada) en las industrias militares, y particularmente en la empresa insignia "Ernesto Che Guevara". Estos experimentos se han apoyado en las experiencias propias y en los diferentes modelos vigentes en las economías desarrolladas de Europa Occidental y Japón, y en este sentido han devenido en un punto de referencia obligado para cualquier proyecto de organización de la producción del país. Sus elementos novedosos son palpables, incluso en cuanto a los espacios que remiten a la participación obrera.

De acuerdo con sus diseñadores, se trataría de desarrollar "la dirección participativa por objetivos... herramienta fundamental para proponerse, en cada período, metas superiores de todo el colectivo de trabajadores. En esto desempeñan un papel principal los comités de expertos (elegidos por los obreros, N.A.), comités de calidad y el mantenimiento de una adecuada información, de manera que los miembros del colectivo conocen los objetivos esenciales de su fábrica y empresa, así como los acuerdos y errores que se han cometido, con el fin de lograr una participación real de los trabajadores en el proceso de dirección.

No es difícil advertir que se trata de una propuesta incluso más avanzada que cualquiera de las existentes en el escenario nacional, y particularmente atractiva por evitar los formalismos burocráticos. Pero al mismo tiempo cabría preguntarse si la obtención de un consenso laboral basado en relaciones salariales satisfactorias y en espacios participativos acotados por criterios de racionalidad técnica —lo que pudiera denominarse "reconversión democrática" de la industria— pudiera ser considerada una condición suficiente de cara a la meta socialista de construir una democracia participativa en que cada sujeto involucrado devenga en productor de políticas y no simplemente en consumidor (aunque activo) de ella.

Enfrentar estos retos en función de la meta socialista implica preguntarnos qué ha faltado, qué sería lo deseable y también qué es lo factible en las experiencias de participación obrera en Cuba.

Ciertamente el desarrollo de la participación obrera depende siempre de diversos factores sistémicos, que trascienden con frecuencia la voluntad política de diseñadores y actores. Ante todo, es un hecho incontestable que la participación sólo puede tener lugar en relación con el poder y, en consecuencia, implica necesariamente (para el caso que aquí nos ocupa) la transferencia de cuotas significativas de poder decisorio desde los centros hacia las instancias de base empresariales. Teniendo en cuenta que estamos hablando de unidades económicas productivas o de servicios, la descentralización del poder conduce inevitablemente a la vieja y vehemente polémica dentro del pensamiento socialista en torno a los usos del mercado y la planificación en los procesos de transición.

Ciertamente es difícil concebir en los tiempos actuales un proceso práctico de descentralización, sea territorial o funcional, que no conlleve la extensión de las relaciones de mercado, e incluso de la privatización de ciertas áreas y funciones. Esto puede acarrear ventajas considerables en cuanto a la creación de un marco competitivo estimulador de la movilización de recursos, del aumento de la calidad de los servicios y de la producción y de la circulación de flujos más dinámicos de información entre vendedores y compradores.

Tal conveniencia, sin embargo, dista de la aceptación del reduccionismo privatista mercantilista, y no se puede dejar de advertir las consecuencias negativas de tales procesos en cuanto a la atomización particularista, la erosión de solidaridades, el incremento de las desigualdades sociales y regionales , o, como anotaba Magdoff, la diseminación de criterios de racionalidad diferentes a los que deben regir un proyecto tan complejo y multidimensional como es la cimentación de una sociedad socialista. Y es justamente en este contexto en el que cobra relieve el rol de la planificación como la pieza clave de concertación de objetivos de crecimiento económico y desarrollo social en función de los fines estratégicos del sistema.

Por supuesto, no se trata de enfrentar la propuesta mercantilista con otra de corte centralista burocrático ni de presentar a la omnipresencia del Estado —cuyos saldos de autoritarismo, relativa ineficiencia económica e insatisfacción espiritual son perfectamente conocidos— como un escenario siquiera viable de realización humana. De lo que se trata es de considerar que, de igual forma que la gestión descentralizada no puede equipararse a la distribución de recursos como una función de las fluctuaciones de precios a través del mercado, tampoco la planificación (incluso aquella que tiene lugar en los niveles centrales) es sinónimo de planificación detallada y burocratizada.

Es posible pensar que entre la planificación burocrática centralizada y el mercado pueden existir numerosas mediaciones de planificación descentralizada, técnicamente racionales y democráticas, que implican el procesamiento de las señales del mercado, e involucran una red transparente de circuitos administrativos y políticos y de relaciones de cooperación distante de simple criterio de competitividad. Un escenario de tal naturaleza parecería el más propicio para convertir la descentralización en un escenario efectivo de potenciación del acto participativo, y no simplemente en una transferencia de atribuciones y funciones en beneficio de élites burocráticas y tecnocráticas localizadas en los niveles de base. Este es sin lugar a dudas uno de los puntos no resueltos del proyecto socialista cubano.

La calidad del entramado institucional, sin embargo, no se reduce a la existencia o no de poderes descentralizados. Implica también, con significativo énfasis, la existencia de instituciones democráticamente legitimadas (sindicales o extrasindicales), con suficiente autonomía y capaces de actuar como escenarios de solución de contradicciones y conflictos (derivados inevitables de la diversidad), de concertación del consenso y de canalización de la participación de los trabajadores. Este otro punto no resuelto en la agenda política cubana, de lo cual el IV Congreso del Partido Comunista ha tomado nota al propugnar una mayor autonomía de las organizaciones sociales y políticas.

Por último, aunque no menos relevante, está el problema de la amplitud de los debates en el seno de los centros de trabajo. No cabe duda de que la agenda principal de estos debates debe ser referida a los problemas propios de la colectividad laboral. Sin embargo, parece poco auspicioso producir un encapsulamiento gremialista que se abstenga de tener en cuenta la magnitud de los problemas nacionales o regionales en que se inserta la empresa. En buena medida éste es un camino que ya sido recorrido en la experiencia cubana —lo que es beneficioso para una empresa no lo es necesariamente para toda la sociedad, declara una de las afirmaciones más frecuentes en boga durante el Proceso de Rectificación—pero tal intención no ha podido escapar de la formalización por el proceso de participación obrera en general.

Un ejemplo negativo de ello es la pobre relación existente entre los colectivos laborales y las comunidades habitacionales. Como anotábamos anteriormente, una empresa y una comunidad adyacente se relacionan a partir del compartimiento de una doble condición de consumidoras-productoras, en ocasiones en detrimento de las comunidades cuyo entorno es consumido por las empresas en nombre de las eufemísticas "externalidades". La legislación cubana es muy omisa al referirse a las relaciones entre gobiernos municipales y empresas. Pero, sobre todo, la práctica política no ha logrado confirmar redes estatales de relaciones entre los colectivos laborales y las comunidades habitacionales, a pesar de que con frecuencia se trata de dos momentos de las vidas cotidianas de las mismas personas. De igual manera que los sindicatos tienen una pobre presencia en las actividades comunicativas, los mecanismos de los gobiernos municipales sólo contemplan formal y tangencialmente el involucramiento de los sindicatos en sus actividades cotidianas. Si de lo que se trata es de alcanzar una integración política de los espacios fabriles y comunitarios, como premisa para una más alta cualificación del sujeto histórico socialista, entonces este resulta otro tema prioritario que deberá ser abordado.

Probablemente estas notas sirvan para animar el debate sobre los problemas de la participación obrera en Cuba. Si así resulta, se habrá cumplido el modesto objetivo que las animó. De su lectura se podrán extraer valoraciones muy distintas. Unas apuntarán a sus insuficiencias analíticas y temáticas, y serán agradecidas por quien evidentemente no es un experto en el tema. Otras las considerarán insuficiente-

mente críticas de una realidad. Por último no faltarán opiniones que las consideren excesivamente ambiciosas en sus
propuestas de cara a las ríspidas exigencias de los tiempos
que corren. De cualquier manera es indudable que de lo que
hemos aquí hablado no es simplemente de cómo hacer más
democrático un centro de trabajo como espacio de producción, sino de cómo convertirlo en un nicho de autorealización
humana.Ciertamente una meta colocada en las estrellas,
pero justamente la que ha permitido al Marxismo continuar
siendo una alternativa política viva.

CAPÍTULO 6

LA CULTURA POLÍTICA CUBANA: ENTRE LA TRAICIÓN Y LA MUERTE*

Nelson P. Valdés

> *Los más elementales e importantes datos sobre una sociedad son aquellos sobre los cuales casi no hay debate y son generalmente considerados asuntos resueltos.*

Louis Wirth

L a política cubana ha seguido un guión idéntico por los últimos doscientos años. Los contendientes se han modificado, los asuntos debatidos han cambiado, pero el contenido de la imaginación política, el discurso y los símbolos han mostrado una notable continuidad. Los adversarios políticos muy a menudo combatían a muerte por sus diferencias. Pero, a pesar de las intensas polémicas, las discusiones apenas trataban asuntos relativos al gobierno democrático, al balance de poder, a la relativa importancia del mercado, o si la propiedad y los patrones de estratificación debían reestructurarse.

---

*Traducido del inglés por José Medina Comas.

Otros asuntos prevalecieron. Los temas del deber personal, la moralidad política, el patriotismo y la misión histórica de la nación ocuparon a los cubanos de todas las perspectivas políticas. Los actores políticos, además de compartir una problemática similar, también tenían idénticos códigos políticos, significados y categorías.

La revolución cubana no alteró el patrón. Los revolucionarios cubanos y los exilados todavía se ajustan al mismo discurso. La importancia, la influencia y la elasticidad de esta cultura política es el asunto principal de este ensayo.

La recurrencia de los códigos en la historia política cubana ha sido reconocida por numerosos autores. En su incisivo libro, *Cuba, Between Reform and Revolution*, Louis A. Pérez señala que los "temas básicos que condicionan el curso de la historia cubana se han mantenido fundamentalmente fijos y firmes" a través de los años.[1] Luis Aguila, reconociendo el mismo fenómeno, escribió que para 1940 los doce partidos políticos de Cuba compartían una misma terminología y retórica.[2] Un lenguaje político, imagen y categorías en común son un testimonio bastante extraordinario del poder de una cultura política aprendida.

La naturaleza de la cultura política y la semiótica

Cada cultura política tiene su propio sentido de la realidad. Sidney Verba define la cultura política como "el sistema de creencias empíricas, símbolos expresivos y valores que defi-

---

[1] Sidney Verba. "Comparative Political Culture". En Lucian W. Pye y Sidney Verba, eds. *Political Culture and Political Development*. Princeton, N.J.: Princeton University Press, 1965, p. 513.

[2] Clarence Schettler. *Public Opinion in American Society*. New York: Harper, 1960, p. 29.

nen la situación en la cual ocurre la actividad política, ello provee la orientación subjetiva a la política".[3]

Una cultura política es un producto histórico único. Se requiere la semiótica para comprender una cultura política a partir de su propia realidad subjetiva, es decir, sus códigos implícitos, signos y significados. Los pueblos que funcionan dentro de su propia cultura política usualmente toman muchas cosas como naturales, juzgando que su universo conceptual es, sencillamente, "sentido común". Un entendimiento semiótico requiere un conocimiento íntimo del mundo que uno estudia, así como también una separación de éste.

Clarence Schettler nos dice que "si alguien quiere saber lo que nosotros pensamos; lo que hemos pensado; cuáles son nuestras creencias, tradiciones, percepciones sociales y opiniones, él podrá hallar sus respuestas mediante el estudio de nuestra lengua".[4] El lenguaje político descubre códigos, esto es, categorías recurrentes con un significado cultural definido. Los códigos manifiestan juicios compartidos. Mientras que otros aspectos de la realidad observada son excluidos.[5]

En la cultura política cubana, existen cuatro componentes conceptuales principales, ahora inseparables, aunque no se originaron simultáneamente. Los cuatro códigos son: a) la misión generacional, b) la moralidad-idealismo, como una palanca de conducta, c) la traición como un peligro siempre

---

[3] Donald J. Devine. *The Political Culture of the United States: The Influence of Member Values on Regime Maintenance.* Boston: Little Brown and Co., 1972, p. 107.

[4] Louis A. Pérez, Jr. *Cuba: Between Reform and Revolution.* New York: Oxford University Press, 1988, p. viii.

[5] Luis Aguilar. *Cuba 1933: Prologue to Revolution.* Ithaca: Cornell University Press, 1972, p. 241.

presente, y d) el imperativo del deber-muerte. Todos han sido elementos fuertes de la cultura política cubana desde antes de la última década del siglo pasado. Aunque cada uno de estos códigos es tratado por separado, son parte integral de la cultura política cubana. Existen lazos lógicos entre ellos.

En este ensayo habremos de describir y analizar los códigos principales que han prevalecido en la cultura política cubana. El lector no encontrará aquí un estudio sociológico de estos códigos, tampoco una explicación detallada de sus orígenes estructurales. El objetivo es mucho más modesto: revelar los códigos (o categorías en patrones) para reseñar algunas de sus características básicas y poder trazar sus interconexiones.

Las generaciones

La juventud es feliz porque es ciega: esta ceguedad es su grandeza, esta inexperiencia es su sublime confianza. ¡Cuán hermosa generación la de los jóvenes activos!

José Martí

Somos jóvenes, y si no hacemos cuanto la naturaleza espera de nosotros, seremos traidores.

José Martí

En América Latina existe un vínculo profundo entre biología y política.

Regis Debray

Mientras las generaciones no nazcan políticamente unas de otras, como ocurre biológicamente, la incomprensión de nuestra propia historia seguirá siendo el signo dominante de cada período.

Aureliano Sánchez Arango

José Kesselman, historiador cubano en el exilio, ha señalado que la mayoría de las figuras políticas, desde "los moderados hasta los izquierdistas, tienden a interpretar los últimos cien años de la historia de Cuba como un resultado de los conflictos creados por la aparición de una nueva generación de activistas".[6] Esto es cierto para los académicos, los políticos y las discusiones políticas diarias. El lenguaje generacional es hegemónico, sin tomar en cuenta que la realidad sea así. Las afirmaciones políticas, las narraciones periodísticas y los trabajos historiográficos tienden a utilizar un marco generacional.

Tenemos una interpretación generacional cuando se analizan, describen o explican los eventos sociales, culturales o políticos a base de la edad de las partes envueltas. Los reclamos generacionales a una misión histórica pueden ser trazados hasta los años veinte del siglo 19, cuando los trabajos europeos sobre "el auge y declive" de la civilizaciones penetraron los círculos intelectuales cubanos.[7] Su mensaje era la "regeneración" a cargo de los jóvenes. Los círculos literarios habían adoptado la tesis comteana de que la gente mayor tiende a tener un "instinto de conservación social" mientras que los jóvenes poseen un "instinto de innovación".[8] José Martí, el líder político de la Guerra de Independencia de 1895, tomó prestado el idioma y el marco cuando proclamó que la renovada lucha por la independencia era dirigida por "pinos nuevos" (hombres jóvenes).[9] Su mensaje

---

[6] *Areito* (New York), 1.2(1975).

[7] 1823 los estudiantes del Seminario San Carlos publicaron un manifiesto que mencionaba el tema. Vea: Larry R. Jensen. *Children of Colonial Depotism: Press, Politics, and Culture in Cuba*, 1790-1840. Tampa: University of South Florida, 1988, pp. 102-103.

[8] Auguste Comte. *Cours de philosophie positive*, Paris. 4 (1939) 635-639.

[9] José Martí. *Antología*. Madrid: Editora Nacional, 1975, p. 331.

era claramente que los jóvenes de Cuba luchaban contra un sistema colonial español viejo y decrépito.

El positivismo y el nacionalismo se fundieron al final de ese siglo. Antes de la intervención de Estados Unidos en 1898, el mensaje positivista proclamaba que la lucha por la independencia representaba modernidad y progreso. La joven Cuba contra la vieja España. Una vez los Estados Unidos capturaron a Cuba de manos españolas, los arquetipos ya no podían usarse, puesto que Estados Unidos era también un país "nuevo". Los positivistas cubanos no podían reclamar modernidad y progreso en su confrontación con el poder de Estados Unidos, ya que estos valores estaban asociados con la aceptación del poder hegemónico del vecino del norte. Tales asociaciones, por lo tanto, implicaban la pérdida de la independencia cubana. De manera que el énfasis se movió de la modernización a la autenticidad. Los cubanos respondieron al poderío y materialismo americano con una filosofía de idealismo y vitalismo.

El positivismo entonces definió el papel de la juventud como la oposición al materialismo. La sociedad impuesta por los Estados Unidos era descrita como decadente. El positivismo, como señala Antoni Kapcia, "se extendió a la historiografía, antropología, sociología y hasta la economía".[10] El mejor exponente de la tesis de la "degradación" y del rol histórico de la juventud lo fue el filósofo conservador Enrique José Varona.[11]

La tesis generacional ganó mayor fuerza a través de los escritos del mejicano José Ingenieros, quien tenía una fe total

---

[10] Antoni Kapcia. "Cuban Populism and the birth of Myth of Martí", in Christopher Abel and Nisa Torrents, eds. *José Martí, Revolutionary Democrat*. London: The Athlone Press, 1986.

[11] Enrique José Varona. *Con el eslabón*, San José, Costa Rica: 1918, n.p.

en las cualidades redentoras de los jóvenes. El **pensador** uruguayo José Enrique Rodó —quien denunció el materialismo americano y proclamó que la salvación de América Latina dependería de la acción de los jóvenes a base del deber, los ideales y el desinterés— encontró una audiencia receptiva en Cuba.[12] Para los años veinte, el "papel renovador de las generaciones" se había convertido en un artículo de fe.[13] Sin embargo, fue José Ortega y Gasset, un filósofo español, quien tuvo el impacto más duradero en la cultura política al ofrecerles a los nacionalistas cubanos y a otros su "teoría" de las generaciones y la historia.[14]

El tema generacional encontró exponentes a través del país. Para 1923, veinticinco años después de la Guerra de Independencia, la Asociación de Veteranos y Patriotas aún permanecía leal al código generacional previo, al reclamar una "regeneración de Cuba".[15] Gerardo Machado, el candidato presidencial liberal, que luego se convirtió en dictador, anunció en 1925 su propio programa de "regeneración".[16] Intelectuales y artistas, de derecha e izquierda, produjeron manifiestos generacionales, reclamando el derecho de ser la conciencia de la sociedad.

Numerosos académicos y ensayistas escribieron sobre las generaciones haciendo la historia. Antonio S. Bustamante

---

[12] Jean Franco. *The Modern Culture of Latin America: Society and the Artist*. New York: Praeger, 1967, p. 51.

[13] Antoni Kapcia. *Language and the Popoularization of Revolutionary Ideology in Cuba*, ensayo presentado a la conferencia "Thirty Years of the Cuban Revolution: An Assessment", Halifax, Nova Scotia, Canada, 1989, p. 13.

[14] Julián Marías. *Generations, A Historical Method*. University, Alabama: University of Alabama Press, 1967, c. 3.

[15] Louis A. Pérez. *Cuba: Between Reform and Revolution*, p. 247.

[16] Luis Aguilar. *Cuba 1933...* p. 57.

aplicó el concepto a interpretaciones literarias, Félix Lizaso lo popularizó con una serie de ensayos sobre temas culturales y Jorge Mañach lo utilizó para el ánalisis histórico.[17] La más abarcadora serie sobre la historia cubana, *Historia de la nación cubana*, interpretaba el pasado a base del código generacional.[18]

El movimiento estudiantil universitario de los años veinte y treinta, adoptó la misión generacional. Cada líder político y organización del periodo siguió sus preceptos (el Partido Revolucionario Cubano, ABC, ABC Radical, Ala Izquierda Estudiantil, Directorio Estudiantil, Partido del Pueblo Cubano, Movimiento Socialista Revolucionario, Unión Insurreccional Revolucionario, Joven Cuba y otros).

Roberto Agramonte, el destacado sociólogo cubano de los años cuarenta y cincuenta, principal voz intelectual del Partido Ortodoxo veía la historia como sigue:

> Ningún género literario como el biográfico permite llegar a comprender el sentido de la historia. La biografía ... es la célula de toda su historia... La historia es en su tejido interno, eso: influjo —y a la vez contraste— de una generación que se agrupa siempre en torno a una personalidad principal:
> así Caballero, así Varela, así José de la Luz, así Martí, así Varona. Cada una suele tener vigencia durante un tercio de siglo, más o menos, hasta que —como precisó bien Dilthey— la nueva generación toca a la puerta de la precedente con una voluntad nueva... A pesar de haber rasgos comunes entre las dos generaciones contiguas,

---

[17] Antonio Bustamante, *Las generaciones literarias*, La Habana, 1937; Féliz Lizaso, *Ensayos contemporáneos*, La Habana, 1938; Jorge Mañach, *Pasado vigente*, La Habana, 1939.

[18] Francisco Ichaso. "Ideas y aspiraciones de la primera generación republicana", *Historia de la Nación Cubana*. La Habana, 1952, v. 8.

prima una distancia ideológica entre ellas. Cada generación es así la intérprete del cambio histórico."[19]

La naturaleza maniquea del cambio histórico expuesta por Roberto Agramonte, líder nacional del más importante partido político en los años cincuenta, es una indicación de cuán fuerte era el código generacional. Otro líder del Movimiento Ortodoxo, Max Lesnik Menéndez, escribió en 1956, "comparto el criterio de que la Generación del 30 no sólo fue un fraude que nada hizo a su paso por el poder y que es además responsable en grado extremo de la crisis profunda por la cual atraviesa la Nación en el presente minuto histórico".[20]

En aquellos momentos se pensaba que la juventud provocaba "respeto por su coraje, su arrojo, su audacia y su programa claro". Los Ortodoxos y los Auténticos eran oponentes incansables, pero ambos usaban las mismas palabras, los mismos significados y los mismos códigos. Los grupos revolucionarios que lucharon contra la dictadura de Batista se definían como parte de una "nueva generación". Este era el caso del Movimiento Nacionalista Revolucionario, el Directorio Revolucionario y el Movimiento 26 de Julio (este último más tarde conocido como la "Generación del Centenario" en honor a José Martí).[21] Desde 1959, la referencia a las generaciones ha continuado; en la actualidad uno de los dos diarios más importantes se llama *Juventud Rebelde*.

---

[19] Roberto Agramonte. *José Agustín Caballero y los orígenes de la conciencia cubana*. La Habana, 1952, p. 2.

[20] *Bohemia*. La Habana, julio 8, 1956, pp. 61, 96.

[21] Nelsón P. Valdés. "Análisis generacional: realidad, premisas y método", *Areito* (Nueva York), 3.4 (1977) 19-26.

Recientemente, los revolucionarios y contrarrevolucionarios han invocado a las generaciones para discutir el futuro de la revolución. Un lado reclama que la revolución ha de ser continuada por los jóvenes, mientras el otro bando reclama que no. Las conclusiones pueden ser polos opuestos, pero el marco de referencia es el mismo.[22] Un envejeciente Fidel Castro ha empezado a revisar, algo, sus referentes generacionales. El se refiere ahora a aquellos que tomaron el poder en 1959 como los "antiguos" (precursores) en vez de "viejos". El introducir una variante semántica es un reconocimiento explícito de la importancia del código generacional en el discurso político. Resulta cuestionable si la innovación semántica pueda alterar radicalmente dos siglos de socialización.

Implícito en el código generacional está un esquema que trasciende la retórica, representando una teleología histórica. Los pronunciamientos generacionales son descriptivos, normativos y análiticos en el contexto cubano. Esto es a lo que Michael Foucault refiere como la arquitectura de un concepto, el significado real del código. En primer lugar, la población es simplemente clasificada por edad o por grupos de pares. No existen transiciones sutiles: se es viejo o joven. En segundo lugar, lo biológico determina lo existencial y, por lo tanto, lo político.

Una persona joven se supone que tenga un alto sentido del deber, con ideales fuertes y puros, vigor y un sentido de

---

[22] Sobre la tesis de que la "nueva" generación permanece revolucionaria refierase a: José R. Vidal Valdés, *Youth in the Cuban Society Today*, La Habana, manuscrito, abril 1990, p. 2. En cuanto al argumento contrario véase a Rhoda Rabkin, "Cuba: The Aging of a Revolution", en Sergio G. Roca, ed., *Socialist Cuba: Past Interpretations and Future Challenges*, Boulder, Colorado: Westview Press, 1988, pp. 33-58.

compromiso. Los jóvenes, por definición, tienen los mejores intereses de la nación en su corazón y estarían dispuestos a luchar por ellos. Una ilustración de lo anterior se encuentra en el pronunciamiento promulgado por José Antonio Echevarría, líder de la Federación de Estudiantes Universitarios, luego del golpe de estado de 1952, "somos -otra vez- los abanderados de la conciencia nacional. Las dramáticas circunstancias que atraviesa la Patria nos impone duros y riesgosos deberes".[23]

La generación más vieja, por otra parte, ha perdido su energía biológica y vital; las convicciones morales se han disipado y los ideales han desaparecido. Está más dispuesta a vivir una vida hedonista y egoísta. La gente más vieja, en otras palabras, ha de-generado. El autor español Carlos Alonso Quejada lo expresa así: "La pureza de los ideales jóvenes contrasta brutalmente con el pragmatismo acomodativo de los adultos, quienes aceptan la vulgar rutina de la existencia".[24]

La juventud, en el código generacional, tiene atributos positivos, pero la vejez no. Esta creencia está basada en una definición proyectiva y una apreciación valorativa, ya que las cualidades de ninguna han sido empíricamente comprobadas; además, el código confunde una posible descripción con su explicación. Este planteamiento no es más que una aseveración ideológica. Pero, debajo de las inferencias normativas, hay una filosofía de la historia.

El código generacional recurre a la genealogía para explicar la historia. Existe una fuerte tradición intelectual en América Latina y España detrás de este movimiento. José

---

[23] Julio A. García Olivares. *José Antonio Echeverría, la lucha estudiantil contra Batista*. La Habana: Editora Política, 1979, p. 46.

[24] Carlos Alonso Guejada. "Las generaciones, drama de vida y de fatalidad", *Índice* (Madrid), mayo-junio 1975, pp. 65-68.

Ortega y Gasset en una ocasión escribió que la historia era una subdisciplina de la biología.[25] Este acercamiento tuvo mucho atractivo en América Latina para los conservadores, funcionarios y educadores de la Iglesia, y para una burguesía que temía interpretaciones con raíces en el análisis de clase. En Cuba, el código generacional logró unir el positivismo (con su denuncia de la 'decadencia'), el biologismo liberal español y un fuerte sentido de vanguardismo.

La naturaleza vanguardista del código generacional precede cualquier principio leninista en la política cubana. Son las generaciones, se nos dice, las que hacen historia; pero la historia se forja por la "minoría consciente", dirigida por un gran héroe, el líder que viene a representar a la generación, que a su vez es quien dirige al resto de la sociedad.[26] José Enrique Varona pensó que una de las tareas de la universidad era unir a los jóvenes "más capaces" y "mejor preparados" para convertirlos en un "cuerpo moral genuino" que habría de ser "reconocido como miembros de una vasta corporación, investida de gran dignidad". Este vanguardismo elitista-generacional ha significado el tener interpretaciones históricas que usualmente terminan como meras biografías —una empresa digna de un Thomas Carlyle.

Una dimensión adicional del código generacional lo es el subjetivismo. La tesis generacional ignora la relación entre un fenómeno político y la circunstancias materiales y socia-

---

[25] Ciriaco Morón Arroyo. *El sistema de Ortega y Gasset*. Madrid: Ediciones Alcalá, 1986, pp. 286-287.

[26] José A. Portuondo ha escrito que cada generación tiene su líder "quien la guía y entiende el ideal al cual aspira, o que personifica el ideal". Véase: *Cuadernos Américanos* (México), mayo-agosto 1948, p. 241. Para una visión crítica ver: Ricardo Jorge Machado. "Generaciones y Revolución", *Cuba, una revolución en marcha*. París: Ruedo Ibérico, 1970.

les que le rodean. Francois Mentre lo confirma cuando define una generación como "un grupo de hombres pertenecientes a diferentes familias, cuya unidad [cohesiva] resulta de una particular mentalidad". Una generación, en otras palabras, "es un estado mental colectivo encarnado en un grupo de personas". La generación se define sólo "a base de sus creencias y deseos, en términos psicológicos y morales".[27] El enlazamiento del concepto juventud con el de moralidad nos lleva al próximo código en la cultura política popular cubana.

Moralismo, idealismo y voluntarismo

Qué estado feliz el de un pueblo moral e instruido.

Félix Varela

En el mundo ha de haber cierta cantidad de decoro como ha de haber cierta cantidad de luz. Cuando hay muchos hombres sin decoro, hay siempre otros que tienen en sí el decoro de muchos hombres. Esos son los que se rebelan con fuerza terrible contra los que les roban a los pueblos su libertad, que es robarle a los hombres el decoro.

José Martí

Nosotros necesitamos dedicarnos propiamente con determinación sin descanso, a elevar el nivel moral, a hacer del espíritu algo grandioso, a dignificar el carácter del pueblo cubano.

Enrique José Varona

El trabajo político no consiste en recitar un catecismo sobre Marx y Lenin a la gente cada día, por el contrario es ser capaz de despertar la motivación humana y moral.

Fidel Castro

---

[27] Julián Marías. *Obras*. Madrid, 1951, pp. 86-87.

El marxismo nunca ha sido central en la tradición intelectual cubana. Aun marxistas auto-proclamados tienden a acercarse al país a base de categorías descartadas por el propio Karl Marx. En 1984, Carlos Rafael Rodríguez dijo que los debates intelectuales y políticos en círculos marxistas en los años sesenta y setenta tuvieron poco impacto, si alguno, en la isla. El reveló que Marx se estudiaba de una manera superficial y mecánica. Y entonces añadió, "No tengo noticias, por ejemplo, de que la polémica sobre el 'humanismo' y el 'cientificismo' de Marx, que promovió tantos debates en Europa hace pocos años, tuviera mucho eco entre los marxistas de nuestro país".[28]

"En la historia de Cuba —escribe Armando Chávez Antúnez—, la moral ha jugado un rol decisivo en el desarrollo de los eventos que han transformado la vida nacional". Añade que "la motivación moral ha dirigido la conducta de los vanguardistas revolucionarios".[29] La postura moral, ha sido el elemento común de casi todos los grupos políticos que han tratado de ganarse el apoyo del pueblo cubano.

Félix Varela estableció el matrimonio de la política, el nacionalismo y la moralidad. Una persona moral según él, era aquella que era útil a la patria. Varela mezcló la moralidad católica con el utilitarismo y un compromiso con la auto-determinación nacional.[30] En los inicios del siglo XIX otros se sumaron a su voz, también para "elevar" el nivel de

---

28 Carlos Rafael Rodríguez. *Palabras en los setenta*. La Habana: Editorial de Ciencias Sociales, 1984, pp. 151-152.

29 Armando Chávez Antúnez. "Consideraciones acerca del pensamiento ético de Félix Varela", *Universidad de La Habana*. 235 (1989) 73.

30 Félix Varela. *Lecciones de filosofía*. La Habana: Universidad de la Habana, 1961, v. 1, p. 244. Consultar además:

   Sheldon Liss. *Roots of Revolution, Radical Thought in Cuba*, Lincoln, Nebraska: University of Nebraska Press, 1987, pp. 10-15.

moral de la sociedad cubana. Pero, de nuevo, fue José Martí quien mejor sintetizó el tema de la moralidad y la política. Martí secularizó la moralidad. De acuerdo con Cintio Vitier, "Martí estableció una ética revolucionaria que llegó a ser la fundación de sus prédicas sociales y políticas".[31] El elemento fundamental de su ética fue su concepción de decoro y dignidad.[32] Decoro significó pureza de ideales, honestidad y honor. La dignidad era la habilidad para llevar a cabo esos propósitos y un fuerte sentido del deber hacia el país. El historiador cubano Jorge Ibarra mantiene que Martí deseaba instalar una "república moral" basada en valores éticos.[33]

Después de la muerte de Martí, otros continuaron con su énfasis moralista. Enrique José Varona hizo de la "moral" el centro de sus enseñanzas en la Universidad de La Habana y en sus escritos.[34] Varona, el principal catedrático de Sociología en la única universidad de la isla, les entregó a sus estudiantes y colegas una tesis básica: los problemas que abrumaban a Cuba eran el resultado de una ausencia de hombres con moral en el poder.

Otros repitieron el tema. José A. Ramos escribió en *Manual del perfecto fulanista* (1916) sobre la ausencia de moralidad. Luis Felipe Rodríguez hizo otro tanto en *La conjura de*

---

[31] Cintio Vitier. *Ese sol del mundo moral, para una eticidad cubana.* México: Siglo XXI, 1975, p. 86.

[32] Roberto I. Hernández Biosca. "La Edad de Oro, un contemporáneo", *Universidad de La Habana*, 235 (1989) 109.

[33] Jorge Ibarra. *José Martí, dirigente político e ideológico revolucionario.* La Habana: Editorial Ciencias Sociales, 1980, p. 216. Ver también: José Martí. *Obras completas.* La Habana: Editorial Nacional, 1963-1966, v. 1, p. 101.

[34] Enrique José Varona. *Conferencias filosóficas*, Tercera Serie: Moral, La Habana, 1988, pp. 178-195.

la ciénaga (1923). La persona más representativa de la tesis de inmoralidad, sin embargo, fue el antropólogo Fernando Ortiz. Fue él quien dijo que las instituciones sociales y políticas cubanas estaban en desorden debido a la "inmoralidad" de los gobernantes del país y quien pidió a los Estados Unidos que impusiera una "intervención moral".[35]

Cualquiera que fuese el tema, los políticos se apegaban al libreto de la moralidad. Todos los problemas eran consecuencia del fallo moral de alguien. Se crearon partidos políticos con el propósito de defender esa tesis. El 17 de junio de 1949, Eduardo Chibás proclamó que "el Partido del Pueblo Cubano ha sido creado para cumplir con los grandes objetivos históricos del pueblo cubano por medio de una revolución moral en la vida pública".[36] Su grito de guerra, de "vergüenza contra dinero", era muy similar a las denuncias de Varela de los que se oponían al patriotismo por el lucro. La insistencia de Chibás aún encuentra eco hoy día en el énfasis de construir el socialismo con "incentivos morales".

Los revolucionarios cubanos se pueden definir a sí mismos como marxistas y materialistas endurecidos, pero debajo de la superficie uno encuentra socialistas utópicos consistentemente sometidos a la lógica de un código moral. Ya en 1947, Fidel Castro comprendió la política en el país como "los tristes resultados del egoísmo y el privilegio".[37] Fidel ha expresado muchas veces sus opiniones sobre ello.[38]

---

[35] Louis A. Pérez. *Cuba: Between Reform and Revolution*, p. 259

[36] Citado en Luis Conte Aguero. *Eduardo Chibás, el Abalid*. México: Editorial Jus, 1954, p. 629.

[37] Fidel Castro. "Against the Reelection of Ramón Grau San Martín", en Rolando E. Bonachea y Nelson P. Valdés, eds. *Revolutionary Struggle, Selected Works of Fidel Castro*. Cambridge: MIT Press, 1972, p. 132.

[38] Fidel Castro. "Against the Reelection", p. 181.

Aunque los componentes de una moralidad secular no han sido claramente delineados, su concepto ha sido invocado para contrarrestar la corrupción, la malversación de fondos y el individualismo excesivo. Implícito en el mensaje está la creencia de que una persona moral es honrada, dispuesta al sacrificio del interés personal por el bien común e indiferente a las posesiones materiales.

Esto ha sido una constante antes y después de la revolución de 1959. En agosto de 1952, Fidel escribió: "la Revolución abre el camino al verdadero mérito, a quienes tienen ideales y coraje sincero, a aquellos que arriesgan su vida y toman posiciones de combate...".[39] Y el año siguiente alegó que el centenario del nacimiento de Martí era la culminación de un ciclo histórico marcado por la progresión y regresión en los dominios políticos y morales de la República.[40] El resumió su moralismo político diciendo que se estaba librando una batalla decisiva entre los que tienen ideales y los que tiene intereses.[41] Idealismo contra materialismo. Hegel contra Marx.

Este moralismo, aunque secular, tiene una metafísica idealista con un particular énfasis en el deber. El moralismo, además, presupone la autonomía individual de los intereses de clase y la libertad total de hacer una selección. Ni la estructura social, la condición social o la necesidad dictan el comportamiento humano.

---

[39] Fidel Castro. "Critical Assesment of the Ortodoxo Party", en Bonachea y Valdés, *Revolutionary Struggle*, p. 153.

[40] Fidel Castro. "The Cuban Revolution", en Bonachea y Valdés, *Revolutionary Struggle*, p. 158.

[41] Fidel Castro. "Grau will Suffer a Shameful Defeat", en Bonachea y Valdés, eds., *Revolutionary Struggle*, p. 133.

La insistencia en la autonomía moral y la capacidad de selección está muy vinculada al voluntarismo. El sucumbir a las condiciones materiales o a las presiones sociales es exhibir un carácter moral débil. Los revolucionarios esperaban que el crecimiento económico rápido se alcanzara precisamente como resultado de este factor. Los recursos morales se habrían de movilizar para obtener metas económicas concretas. "¡Palabra de cubano, los diez millones van!". Ese era el mensaje que aparecía por toda Cuba en 1969 y 1970. El liderato revolucionario había anunciado que el país produciría 10 millones de toneladas de azúcar, y aun cuando numerosos analistas dudaron que se pudiera, el régimen apostó su honor en ello. La meta no fue alcanzada. En vez de revisar las perpectivas revolucionarias, Fidel concluyó que el revés se debió a la falta de moral y de sentido del deber social de algunas personas.[42]

La perspectiva idealista triunfó, a pesar de todo. Ella ha estado por mucho tiempo y muy profundamente enraizada, para ser despachada por uno o muchos fracasos económicos o políticos. Una epistemología dominante no es arrojada al viento, luego que los "padres" fundadores del pensamiento filosófico y político cubano se la legaran a los cubanos.[43] El sistema educativo y los medios de comunicación masiva lograron preservarla durante el siglo 20. Los hijos de las clases alta y media fueron adecuadamente socializados en ella y, aun hoy día, figuras claves recibieron su educación elemental y secundaria de manos de religiosos católicos.[44]

---

[42] *Granma*, septiembre 20, 1970.

[43] El Seminario San Carlos entrenó a las figuras intelectuales cubres de Cuba en el siglo 19.

[44] Entre ellos se pueden mencionar: Fidel Castro, Osvaldo Dorticós y Carlos Rafael Rodríguez.

Un voluntarismo trascendental permea los discursos de Fidel Castro. Esto no es único de él, o de los revolucionarios cubanos. Es una característica compartida por muchos otros. Fidel Castro es tan sólo el mejor ejemplo del patrón. En una entrevista, él recordaba sus años de escuela con los jesuitas. El comentario revela la experiencia de muchos cubanos educados involucrados en la política:

Estaba ya en una escuela de gentes más rigurosas, de mucha más preparación, de mucha más vocación religiosa; en realidad, de mucha más consagración, capacidad, disciplina que los de la otra escuela, incomparablemente superior... Me encuentro gente de otro estilo, unos profesores y unos hombres que se interesan por formar el carácter de los alumnos. Además, españoles; por lo general, pienso que en estas cosas que hemos estado comentando se combinan las tradiciones de los jesuitas, su espíritu militar, su organización militar, con el carácter español. Eran gentes que se interesaban por los alumnos, su carácter, su comportamiento, con un gran sentido de rigor y exigencia.

Es decir que uno va recibiendo cierta ética, ciertas normas, no sólo religiosas; va recibiendo una influencia de tipo humano, la autoridad de los profesores, las valoraciones que ellos hacen de las cosas. Ellos estimulaban el deporte, las excursiones a las montañas, y, en el caso mío, me gustaba el deporte, las excursiones, las caminatas, escalar montañas, todo aquello ejercía gran atractivo sobre mí. Incluso, en ocasiones hacía esperar a todo el grupo dos horas, porque andaba escalando una montaña. No me criticaban cuando hacía alguna cosa de ésas; cuando mi tardanza obedecía a un gran esfuerzo, lo veían como prueba de espíritu emprendedor y tenaz; si las actividades eran arriesgadas y difíciles, ellos no las desestimulaban... Es decir, si ellos observaban algunas características con las cuales simpatizaban en sus alumnos —espíritu de riesgo, de sacrificio, de esfuerzo—, las estimulaban, no convertían al alumno en un blandengue. Tampoco los otros, voy a decir, pero éstos más; los jesuítas se preocupaban mucho más por el temple de sus alumnos.[45]

Los jesuítas recalcaban el poder de la voluntad, la disciplina, el sacrificio, la dedicación total, normas éticas y un carácter fuerte. Fidel Castro, al igual que la mayoría de los líderes políticos cubanos, fue formado e influenciado por estos líderes religiosos. Aunque los políticos no aceptaran el contenido político de la ideología de los sacerdotes, ellos internalizaron los valores católico-hispanos. De ellos aprendieron disciplina, valores jerarquizados, un idioma, una forma de ver la realidad, hasta un sentido de justicia. No es sorprendente que el líder de la revolución cubana haya señalado que "todas las cualidades que necesita un sacerdote, son características de un buen revolucionario".[46] En Cuba, el idealismo y las tradiciones morales tienen un origen hispano-católico. Las tradiciones fueron además mantenidas por los medios de masa, y por un medio intelectual con una infusión de ética positivista.

En la perspectiva idealista, la fe y la confianza condicionan el análisis. Michael Harrington una vez señaló que el acercamiento revolucionario cubano percibía a los trabajadores y campesinos como más idealistas de lo que las condiciones de vida les permitían. El añadió que mientras el régimen revolucionario actúe en base a premisas "en una

---

[45] *Fidel y la religión, conversaciones con el sacerdote Dominico Frei Betto.* Santo Domingo: Editora Alfa y Omega, 1985, pp. 130-131.

[46] Citado en John M. Kirk. *Between God and the Party, Religion and Politics in Revolutionary Cuba*: Tampa: University of South Florida Press, 1989, p. 122.

situación en que no aplican, estará en contradicciones prácticas, al igual que filosóficas". [47]

La terminología moralista, idealista y voluntarista descubre conceptos implícitos y supuestos acerca de los elementos constitutivos importantes del proceso histórico. Ninguna otra manera de evaluar la realidad es siquiera considerada.[48] Cualquiera que sea el asunto, el reto, el problema o su fuente, éste será tratado como una prueba a las convicciones morales y al poder de decisión. La acción política prescrita es transformada en un asunto de honor. El paradigma moralista/idealista es, en última instancia, una epistemología.[49]

El historiador cubano Manuel Moreno Fraginals una vez dijo que era difícil encontrar un científico social marxista en la isla.[50] Hay quienes se proclaman así, pero muchos de ellos sucumben a las categorías idealistas.[51] La tradición aún puede jugar un rol crítico en el futuro de la revolución misma.[52]

---

[47] Michael Harrington. *The Twilight of Capitalism*. New York; Simon y Schuster, 1976, p. 177.

[48] Este es un ejemplo de un paradigma dominante en política. Sobre paradigmas véase: Robert W. Friedrichs. *A Sociology of Sociology*. New York: Free Press, 1970.

[49] Clifford Geertz. *Local Knowledge, Further Essays in Interpretive Anthropology*. New York: Basic Books, 1983, p. 58.

[50] Nelson P. Valdés. "Entrevista al historiador cubano Manuel Moreno Fraginals", *Boletín Reunión* (Madrid), 158 (agosto 1984) 2-5.

[51] Ver trabajo de Jorge Ibarra como un ejemplo de ello: *Un análisis psicosocial del cubano: 1895-1925*. La Habana: Editorial de Ciencias Sociales, 1985. Este es, no obstante, una contribución sensitiva y creativa al análisis cultural de Cuba.

[52] Las recientes referencias a Numancia nos vienen a la mente. En la base de la experiencia pasada el liderato de la Revolución cubana pudiera escoger la ruta de la Numancia antes que rendirse.

La traición permanente

En nuestra América no puede haber Caínes.

José Martí

De traidores está América cansada.

José Martí

Traición es traición, sea de cualquiera que sea.

General Div. Arnaldo Ochoa

Lo que han hecho constituye una traición a los oficiales y combatientes de nuestras heroicas Fuerzas Armadas Revolucionarias y a los combatientes del Ministerio del Interior...; una traición a los limpios compañeros que han caído en abnegada lucha dentro y fuera de Cuba; un ultraje a nuestros principios y una bofetada a la patria.

Editorial de Granma

En Cuba, las interpretaciones de la realidad social y política están muchas veces dominadas por la alegación de que el adversario es traicionero. Entonces las diferencias políticas se convierten en acusaciones de traición. Si una meta política o nacional no es alcanzada tan sólo hay una explicación: la traición o el engaño. Algunos ejemplos ilustran el planteamiento.

La Guerra de Independencia de 1868-1878 termina en fracaso porque las fuerzas independentistas se dividen, propiciando una tregua con el sistema colonial español. Los que firmaron el "Pacto del Zanjón" han sido caracterizados como "traidores" a la lucha por la libre determinación y la soberanía nacional. La intervención americana de 1898, luego de que los cubanos empezaran una segunda guerra de independencia, fue "frustrante". Como Louis A. Pérez ha señalado, las expectativas no fueron alcanzadas, las promesas no se cumplieron, y "toda promesa revolucionaria sustantiva" fue insatisfecha. La traición y la "frustración" se convirtieron en los descriptores comunes de la realidad política cubana del siglo 20.[53]

En los años veinte se llevaron a cabo numerosas iniciativas políticas e intelectuales con el alegado objetivo de rescatar los valores nacionales "traicionados" luego de que los Estados Unidos intervinieran en Cuba en 1898. El tema de la traición se volvió particularmente pronunciado en los trabajos de los comentaristas sociales, económicos y políticos durante los primeros cincuenta años del siglo 20. Alberto Lamar Schweyer,[54] Jorge Mañach[55] y Fernando Ortiz, entre otros, lo abordaron.[56]

La revolución de 1933 contra la dictadura de Gerardo Machado se justificó como una lucha contra la traición cometida por aquéllos en el poder durante 1902-1933. Fulgencio Batista, un sargento, movilizó a los sub-oficiales contra el cuerpo de oficiales y logró asumir el poder. Sus acciones constituyeron una "traición" para aquellos que él derrocó. Él luego procedió a entregar algún grado de poder político a los civiles que también apoyaban las ideas políticas expuestas durante los treinta años anteriores. Pero tras sólo cinco meses Batista derrocó a los mismos civiles que él había instalado en el poder.

---

[53] Louis A. Pérez, Jr. *Cuba Between Empires, 1878-1902*. Pittsburgh: University of Pittsburg Press, 1983, p. 385.

[54] Alberto Lamar Schweyer. *La crisis del patriotismo*. La Habana: Editorial Martí, 1929.

[55] Jorge Mañach. *Indagación del choteo*. La Habana: Editorial Lex, 1936.

[56] Fernando Ortiz. *La decadencia cubana*. La Habana: La Universal, 1924.

Los revolucionarios desplazados consideraron las acciones de Batista también como una "traición". Ambrosio Fornet, por ejemplo, ha escrito que la revolución de 1933, como la de 1895, fue traicionada, frustrada, interrumpida...[57].

No era raro encontrar un cargo de traición en los manifiestos y comentarios políticos. Todos lo usaban. En 1937, por ejemplo, prominentes figuras intelectuales y políticos conservadores y liberales pidieron una convención constituyente. Ellos iniciaron su manifiesto diciendo que el gobierno, una vez más, había traicionado las responsabilidades que había recibido.[58]

El mensaje político del Partido Revolucionario Cubano (Auténtico) en los treinta y el del Partido del Pueblo Cubano (Ortodoxo) en los cuarenta eran el mismo aunque dirigido contra objetivos distintos: alguien ha traicionado a Cuba.[59] La actividad política temprana de Fidel Castro en el Partido Ortodoxo significa que había internalizado los valores del partido. En una ocasión él acusó al Partido Auténtico de "traicionar la revolución" que había proclamado.[60] En otra, Fidel acusó a Batista de lo mismo. Escribió que, ayudado por la noche, por la sorpresa y la traición, el golpe tuvo éxito y

---

[57] Ambrosio Fornet. "Nota a la primera edición", en Raúl Roa, *La revolución del 30 se fue a bolina*. La Habana: Editorial de Ciencias Sociales, 1976, p. 9.

[58] "Manifiesto al país", en Hortensia Pichardo, ed. *Documentos para la Historia de Cuba*. La Habana: Editorial de Ciencias Sociales, 1980, v. 4, p. 220.

[59] Luis Conte Aguero, *Eduardo Chibás*, y E. Vignier y G. Alonso, *La corrupción administrativa en Cuba, 1944-1952*. La Habana: Instituto del Libro, 1963.

[60] Fidel Castro. "I Accuse", en Bonachea y Valdés, eds. *Revolutionary Struggle*, p. 143.

que la ciudadanía, completamente ignorante de la traición, despertó a los rumores y no pudo actuar.[61]

Más tarde Fidel lanzó las mismas acusaciones contra los Ortodoxos. El 25 de diciembre de 1955, publicó un artículo en el que decía que la nación estaba a punto de ser testigo de la gran traición de los políticos.[62] El 1 de enero de 1959 el alto comando de la guerrilla lanzó una proclama general de huelga que decía que no se podía tolerar un golpe de Estado para traicionar a la gente.[63]

Batista al ser depuesto produjo un libro para defenderse. El libro se titula *Cuba Betrayed*.[64] Él, por supuesto, no estaba describiendo su propia carrera política como una serie de traiciones; sino que calificaba a sus opositores como los traidores de la patria. Los conservadores que sirvieron en su último régimen han acusado a Batista, sin embargo, de traicionarlos a ellos.[65]

La naturaleza radical de la Revolución Cubana no alteró el patrón. Aquellos que se oponían a la ruta revolucionaria inmediatamente invocaron el concepto. Los liberales que querían alguna mal definida revolución social sin comunismo, también se adueñaron de la tesis de la traición. Rubén Darío Rumbaut, prominente demócrata-cristiano y miembro del Frente Revolucionario Democrático en el exilio,

---

[61] Fidel Castro. "Brief to the Court of Appeals", en Bonachea y Valdés, eds. *Revolutionary Struggle*, p.149.

[62] Fidel Castro. "Against Everyone!", en Bonachea y Valdés, eds. *Revolutionary Struggle*, p. 300.

[63] Fidel Castro. "General Strike Proclamation", en Bonachea y Valdés, eds, *Revolutionary Struggle*, p. 449.

[64] Fulgencio Batista. *Cuba Betrayed*. New York: Vantage Press, 1962.

[65] José Suárez Núñez. *El gran culpable*. Caracas: n. p., 1963.

escribió *La revolución traicionada*.[66] Manuel Antonio Varona, un líder Auténtico que también salió al exilio, escribió *El drama de Cuba o la revolución traicionada*.[67] Fermín Peinado, otro exilado, alega que la "comunización" de Cuba fue producto de la traición de un pequeño grupo que controlaba las armas y la propaganda.[68]

Los conservadores no se quedaron atrás en encontrar traiciones también. Mario Lazo señaló con dedo acusador una traición por parte de los formuladores de política de Estados Unidos quienes "permitieron" que la revolución ocurriera.[69] Paul Bethel tiene un capítulo titulado "The Great Betrayal Begins" en su libro *The Losers*. Aun autores no cubanos, al entrar en contacto con la comunidad exilada, repiten el mismo tema. (Un ejemplo sería J.A. Acuña quien escribió *Cuba: una revolución traicionada*.)[70]

La acusación de traición fue usada también por los revolucionarios —para combatir a los contrarrevolucionarios o a aquellos que se desviaban de las normas dominantes dentro de sus propias filas. Rolando Cubela, presidente de la Federación de Estudiantes Universitarios, purgó las filas estudiantiles entre 1959 y 1960 con la justificación de remo-

---

66 Rubén Darío Rumbaut. *La revolución traicionada*. Miami: Frente Democrático Revolucionario, 1962.

67 Manuel Antonio de Varona. *El drama de Cuba o la revolución traicionada*. Buenos Aires: Editorial Marymar, 1960.

68 Fermín Peinado. *Beware Yankee: The Revolution in Cuba*. Miami: n. p. , 1961; y Mario Llerena, quién escribió "Castro's betrayal became manifest from 1960 on", en *The Unsuspected Revolution, the Birth and Rise of Castroism*. Ithaca: Cornell University Press, 1978, p. 44.

69 Mario Lazo. *Dagger in the Heart, American Policy Failures in Cuba*. New York: Funk y Wagnalls, 1968.

70 J. A. Acuña. *Cuba: revolución traicionada*. Montevideo, 1962.

ver a los traidores que conspiraron en contra de la Universidad.[71] La revolución, Fidel Castro decía a principios de 1961, era capaz de eliminar la traición contra los principios revolucionarios.[72]

El tema de la traición ha continuado siendo un elemento central del discurso político. Durante el caso Ochoa, en junio de 1989, un número de oficiales fue acusado de tráfico de drogas, resonando dentro del Consejo de Estado la tesis de la traición a la revolución. Pedro Miret capturó bien el espíritu del momento cuando dijo que el gérmen de la corrupción, la deslealtad y la traición han vuelto a salir a la superficie.[73]

Gustavo Arcos Bergnes, un antiguo veterano del ataque al Cuartel Moncada que estaba en prisión por oponerse al giro comunista de la revolución, promulgó en La Habana en junio de 1990 un manifiesto para todos los cubanos donde urgía al dialogo con el gobierno de Castro. Arcos alegaba que Fidel Castro había traicionado los ideales de la revolución. Sin embargo, él pensaba que podría encontrarse una solución pacifica. Los medios noticiosos del exilio reaccionaron de una forma predecible. Armando Valladares, quien ha servido como enviado especial de los Estados Unidos a la Comisión de Derechos Humanos de las Naciones Unidas en Ginebra, declaró que "las declaraciones del comité de Arcos... están basadas en una distorsión de la realidad cubana para beneficio de la dictadura de Fidel Castro y constituyen una

---

[71] Jaime Suchlicki. *University Students and Revolution in Cuba.* Miami: University of Miami Press, 1969, p. 96.

[72] *Revolución* (La Habana), January 3, 1961.

[73] *Causa 1/89, Fin de la conexión cubana.* La Habana: Editorial José Martí, 1989, pp.405-407.

traición a aquellos que han luchado, muerto y aún están presos por casi 30 años."[74]

El establecimiento liberal norteamericano no pudo entender las largas tradiciones históricas de la "tesis de la traición" cuando se apropió de ella en los sesenta como una pantalla para oponerse a la revolución mientras proclamaba tener simpatías por las aspiraciones sociales de los latinoamericanos. El "White Paper" sobre Cuba, producido por el Departamento de Estado durante la administración de Kennedy, pero escrito por Arthur Schlesinger, Jr. en abril de 1961, empezaba con el título "La traición a la Revolución Cubana".[75]

El escritor americano Theodore Draper se hizo famoso con la tesis de que "...la revolución que Castro prometió fue incuestionablemente traicionada." [76] Ninguno de los autores entendía que, mientras sus conceptos de "traición" eran de una naturaleza social, los cubanos estaban hablando de confianza personal.[77] Las palabras pueden haber sido las mismas, pero tenían dos contextos diferentes por completo. Para los políticos y escritores americanos, traición significa el rompimiento con un conjunto de promesas políticas o alejarse de un programa político dado (conducta familiar en

---

[74] Citado en Liz Balmaseda, "The Ironic Diplomacy of Armando Valladares", *Miami Herald*, octubre 7, 1990, p. H1.

[75] U.S. State Department. *Cuba*. Washington D.C., 1961 (Inter-American Series, No. 66).

[76] Theodore Draper. *Castro's Revolution: Myths and Realities*. New York: Praeger, 1965, p. 20. Ver, además, su "Castro's Cuba: A Revolution Betrayed?", *Encounter* (London), March 1961, pp. 6-23.

[77] Una posición de adversario metodológicamente de la tesis se puede encontrar en Samuel Farber, *Revolution and Reaction in Cuba, 1933-1960, A Political sociology from Machado to Castro*. Middletown, Conn.: Wesleyan University Press, 1976, p. 15.

políticos de todos lados). El término connotaba un significado completamente diferente para los cubanos. Por esta razón Antonio de la Carrera, un critico social-demócrata cubano, escribió: "Es difícil para muchos académicos americanos creer que la decisión de tornar a Cuba en un país comunista no obedecía a ninguna ley social, sino al capricho de un individuo, Fidel".[78] Carrera, por supuesto, no explicó por qué era tan fácil que los cubanos aceptaran la tesis.

¿Por qué la continua referencia a las traiciones? El derecho a que existan perspectivas políticas en competencia y claras no ha ganado aceptación en la política cubana. Como otras relaciones sociales, la política parece estar basada en una total, completa y absoluta lealtad —para con un individuo o un conjunto de normas "morales". La política, por lo tanto, requiere lealtad, confianza y fe incondicionales. Estas se convierten en un indicador de compromiso político. Dentro de este marco conceptual, cualquier desvío o vacilación es traicionero y, por lo tanto, un engaño. La traición siempre la define el "traicionado". La persona que confía es traicionada, liberándola de toda responsabilidad. Hugh Thomas ha señalado que "la gente que deposita su fe en un 'héroe y guía' es generalmente defraudada".[79]

La lealtad y la fe son elementos relacionados de una cultura política que suscribe una visión absolutista de la verdad y la realidad. También está basada en una confianza en la lealtad de los otros. Esta es una cualidad altamente estimada, pero en política, para parafrasear a Carlos Rafael

---

[78] Antonio de la Carrera. "Castro's Counter-Revolution". *New Politics* (New York), otoño 1962, p. 87.

[79] Hugh Thomas. "Middle Class Politics and the Cuban Revolution", en Claudio Véliz, ed. *The Politics of Conformity in Latin America*. Oxford University Press, 1967, p. 277.

Rodríguez, "la confianza está bien, pero el control es mejor".[80] La fe y la intolerancia también están conectadas. Ellas excluyen la posibilidad de diferencias sinceras de opinión o compromisos en el terreno político.

La raíz de la "traición" como tema político puede encontrarse en el sistema colonial español que enseñó e impuso respeto a la autoridad ("ordeno y mando"). La economía de plantación promovió patrones similares de autoridad y obediencia.

Antes de 1959 Cuba era una sociedad llena de discordia, sin una comunidad fundamental de intereses e incapaz de promover una cultura de tolerancia y diversidad. La experiencia revolucionaria después de 1959 acrecentó la divergencia y la polarización. Las categorías políticas del siglo XIX continúan hasta el presente, tanto en Cuba como en la comunidad exilada.[81]

El tema de la traición descubre una cultura política en la que las relaciones políticas, como otras relaciones en sociedades tradicionales, son altamente personalistas y carecen de neutralidad afectiva. La traición denota una cultura política que considera sagrada, y por lo tanto inviolable, la integración del grupo. Se espera que la persona sea plenamente parte del grupo y que acepte las demandas de éste como propias. En este sentido, el desviarse de la identidad del

---

[80] Carlos Rafael Rodríguez. "Sobre la contribución del Ché al desarrollo de la economía cubana", *Cuba Socialista* (Habana), mayo-junio 1988, p. 10.

[81] Jorge Mas Canosa, el más influyente líder del exilio en Miami recientemente se enfrentó a su hermano en corte por asuntos de negocios. Cada hermano acusó al otro de "traición". Ver: Pedro Sevcec. "Más Canosa se enfrenta a su hermano en corte", *Nuevo Herald* (Miami), octubre 24, 1990, pp. 1a, 5a.

grupo implica escoger el individualismo por encima de los requerimientos del grupo. La desviación es, consecuentemente, la negación del altruísmo y, por lo tanto, una "traición" al grupo. La antítesis de la desviación y de la traición es la muerte heroica.

La politización de Tánatos

En la cruz murió el hombre un día; pero se ha de aprender a morir en la cruz todos los días.

José Martí

Matar por ekwé si es necesario. Defender a ekwé hasta la muerte. Segundo Mandamiento

Abakuá

En cualquier lugar que nos sorprenda la muerte, bienvenida sea, siempre que ése, nuestro grito de guerra, haya llegado hasta un oído receptivo, y otros hombres se apresten a entonar los cantos luctuosos con tableteo de ametralladoras y nuevos gritos de guerra y victoria.

Ernesto Ché Guevara

La muerte permea la imaginación histórica y política de Cuba. La más alta expresión del patriotismo y la verdadera medida del altruísmo lo constituye la voluntad de morir por un ideal político o por la nación. La gente debe estar dispuesta a sacrificarlo todo. De lo contrario no se le puede tomar en serio políticamente.

En el siglo XIX, las fuerzas que lucharon por la independencia lo hicieron bajo la bandera de "Libertad o muerte". Esta dicotomía era más que un grito de batalla. Tocaba los más profundos intersticios de lo que constituye una definición sobre lo que es, en última instancia, la política. El himno nacional cubano le recuerda a cada niño que "...morir por la patria es vivir". Este refrán lo han repetido personas de las más diversas perspectivas.

José Martí ponderó en sus escritos la politización de la muerte. Patriota era aquel que sabía cuándo y cómo morir. Martí mismo expresó en uno de sus últimos escritos que "...para mí ya es hora".

El ofrecer la vida por Cuba ha sido una constante en la política. El estribillo revolucionario afirma "Patria o muerte. Venceremos". En efecto, el Tánatos y la política son inseparables en el discurso político cubano. Se espera que el patriota muera en la lucha o, si las cosas no van como era esperado, muera de su propia mano para demostrar pureza y compromiso. Los jóvenes cubanos de todas las clases sociales han aprendido en la escuela, en la casa y a través de los medios de masa la filosofía de Martí que plantea que "morir es vivir, morir es sembrar".[82]

La disposición a morir a manos de un enemigo también puede requerir la capacidad de terminar la propia vida para servir al bien común nacional. (José Martí escribió una obra de teatro, *Abdala*, con esa tesis). El suicidio, bajo condiciones adecuadas, es una conducta política aceptable en Cuba. El escritor cubano Guillermo Cabrera Infante propone en un ensayo reflexivo que la práctica del suicidio es la única ideología cubana definitiva.[83]

A través de los años numerosos personajes políticos se han suicidado para demostrar que estaban pensando en los mejores intereses del país y tenían altas exigencias patrióticas y morales. Las normas políticas preveían el suicidio en ciertas

---

[82] Citado por Cintio Vitier, *Ese sol del mundo moral*, p. 86.
[83] Guillermo Cabrera Infante. "Entre la historia y la nada (Notas sobre una ideología del suicidio)", *Escandalar* (New York), enero-junio, 1982, p. 83.

ocasiones para demostrar la intensidad del compromiso o del patriotismo. Podríamos considerar que esto incluye las acciones desesperadas de líderes políticos que, por iniciativa propia, se colocan en situaciones que sólo pueden conducir a su muerte. Estas podrían considerarse suicidios implícitos:

* José Martí, el líder de la guerra de independencia, y civil sin experiencia militar, atacó a los soldados españoles con un puñado de guardaespaldas (1895).
* Antonio Guiteras dirigió a un pequeño grupo de hombres contra los militares de Batista (1934).
* Jóvenes sin experiencia, con poco conocimiento de táctica militar, pocas armas y sin conocer el área circundante trataron de tomar la segunda fortaleza en la isla durante el ataque al Cuartel Moncada (1953).
* Un ataque similar en contra del Cuartel Goicuría durante el cual todos los participantes fueron masacrados (1956).
* El Directorio Revolucionario atacó el Palacio Presidencial con pocas armas y aún menos conocimiento de guerra urbana (1957).
* Josué País retó a la policía de Batista a pelear en las calles de Santiago de Cuba (junio de 1957).

Además tenemos los suicidios más explícitos donde las víctimas se quitaron la vida:

* Eduardo Chibás, líder del Partido Ortodoxo, que se suicidó en 1951 para "golpear la conciencia del pueblo cubano" (1951).
* Osvaldo Dorticós y Carlos Prío Socarrás, ex-presidentes (el primero murió en Cuba y el segundo en el exilio).

Y existen muchos otros ejemplos.

La politización de la muerte se puede trazar a José Martí, si no a tiempos anteriores. El máximo sacrificio era estar dispuesto a morir. José Martí lo expresó de la siguiente manera, "todas las grandes ideas tienen su Nazareno".[84] José Martí, el hombre más identificado con la ideología nacional cubana y con la libre determinación nacional, fue más lejos, también proclamó que se debería estar dispuesto a quitarse la propia vida si esto servía al futuro del país. Por esta razón Félix Lizaso le llamó "místico del deber" en una importante obra. Pero Martí no era una excepción. El ciertamente recogió la tradición hispánica y cristiana en la cual el sacrificio —particularmente el máximo— es la más alta expresión del altruísmo.

La idea de que el interés personal debe sacrificarse para satisfacer las necesidades de la nación está implícita en la politización de la muerte. El individuo es menos importante que la colectividad que supuestamente se beneficia del sacrificio. Félix Varela, el cura filósofo cubano del siglo XIX, enunció el principio de que el interés personal se torna en depravación e infamia cuando no está fundado en el interés común de la patriaatria.[85] El patriota está dispuesto a sacrificarse y morir, la persona egoísta no tendrá el sentido de abnegación y, por lo tanto, no le importará; o aún peor.[86]

La muerte, según esta ideología, es preferible a una vida deshonrosa. La lucha por la autodeterminación, aunque llevara a la muerte, sería preferible a una vida sin honor. Fidel Castro en "La historia me absolverá" señaló que de los cadáveres de los héroes surgiría el espectro de sus ideales.[87]

La muerte tiene significado si sirve un propósito nacional. El suicidio en Cuba no es ni anómico ni egoísta, según

---

[84] Citado en Cintio Vitier. *Ese sol del mundo moral*, p. 86.

[85] Félix Varela. *Lecciones de filosofía*, v. 1, p. 278.

[86] Armando Chávez Antúnez. "Consideraciones", pp. 73-93.

[87] Fidel Castro. "History will Absolve Me", en Bonachea y Valdés, eds. *Revolutionary Struggle*, p. 205.

los términos de Emile Durkheim.[88] El suicidio político es altruísta y expresa una cultura política que enfatiza la renunciación y la abnegación incuestionada. Estos fenómenos, ha notado Durkheim, se podían encontrar en sociedades con un alto grado de integración social y solidaridad.

La muerte voluntaria en forma de sacrificio la enseñó como ejemplar la Iglesia Católica, aunque se proscribía el suicidio. El nacionalismo —religión secular de un país en lucha por su independencia— aceptaba el suicidio siempre que éste fuera por un propósito nacional.[89]

Conclusión

Los cuatros componentes principales de la cultura política cubana han sido premisas operativas fundamentales de la tradición intelectual del país. Los códigos políticos han tenido un atractivo especial que no tenía que ver con su poderosa lógica, sino que eran inseparables del ambiente cultural que prevalecía entre las personas educadas.

La frecuencia de su uso muestra cuán enraizados estaban estos códigos en la cultura política cubana. Su regularidad demuestra más aún el grado en que se había aceptado acríticamente el lenguaje y su sentido implícito.

---

[88] Cabrera Infante sugiere que los suicidios políticos en Cuba son del tipo "egoísta". Ibarra, por otro lado, los llama "anómicos". Para entender estos conceptos ver Emile Durkheim. *Suicide.* Glencoe, Illinois: Free Press, 1951.

[89] Florence W. Kaslow. "Suicide –Causation, Indicator and Interventions", *Journal of Sociology and Social Welfare.* 3.1 (1975) 60-81.

Al usar estos códigos políticos los cubanos percibían la realidad social, económica y política en forma dicotómica: viejo/joven, corrupción/pureza, idealismo/materialismo, lealtad/traición, egoísmo/deber. Este pensamiento maniqueo reflejaba y promovía una realidad polarizada. Las polaridades eran normativas lo que le obligaba a uno a juzgar más que a comprender. Las polémicas políticas, las diatribas y los manifiestos recurrían expeditamente a los códigos, pero no se beneficiaba nuestro entendimiento de la realidad social.

La construcción de la nación ciertamente condicionó el surgimiento de los códigos y su supervivencia durante dos siglos. La incapacidad de los formuladores estadounidenses de política para penetrar estos códigos ha exacerbado un conflicto que tiene profundas raíces en otros lados.

Los cubanos le han dado forma a su concepto ellos mismos, a su relación con otros y a las acciones que han tomado al aferrarse a estos códigos. Quizás lo han hecho sin un conocimiento consciente de lo que ha ocurrido. Quizás también estén condenados a continuar actuando sobre la base de estas creencias en el futuro.

Isaiah Berlin apuntó en una ocasión que "el primer paso para la comprensión" es hacer a las personas conscientes del modelo que "domina y penetra su pensamiento y acción". Pero añadía "que como todo intento de hacer conscientes a los hombres de las categorías en que piensan, se trata de una actividada difícil y dolorosa que probablemente produzca resultados inquietantes". [90]

El descubrir categorías es la tarea de los científicos sociales y no debería resultarles inquietante a los cubanos que quieran entender su propia historia y cultura.

---

[90] Isaih Berlin. "Does Political Theory Still Exist?", in Peter Laslett y W.G. Runciman, eds. *Philosophy, Politics and Society*. Oxford: Basil Blackwell, 1962, p. 19.

Capítulo 7

LA CUBA QUE AÚN PUEDE SER

Marifeli Pérez-Stable

A principios de la década de los noventa, el fenómeno político-social de una revolución no es la fuerza motriz y determinante de la sociedad cubana. Bien pudiera argüirse que la revolución como proceso transformador concluyó alrededor de 1970, cuando el fracaso de la zafra gigante selló el destino del experimento radical —la llamada herejía cubana— de los años sesenta y el gobierno emprendió el proceso de institucionalización.

El comienzo de las grandes revoluciones casi nunca se pone en duda: los procesos revolucionarios en que los seres humanos real y palpablemente extraordinarios hacen historia. Las revoluciones destruyen rápidamente el viejo orden e intentan construir un orden alterno que, al transformar las bases sociales del poder político, buscan superar las injusticias del viejo orden. Las revoluciones logran que seres humanos comunes y corrientes crean en la posibilidad de un mundo mejor y que, por lo tanto, se dispongan a hacer lo extraordinario —a romper con la vida cotidiana como estaba estructurada hasta ese momento— y a luchar, a sacrificarse, y hasta a morir para alcanzar ese mundo mejor.

Cuándo exactamente concluyen las revoluciones es un poco más difícil de determinar. El gran historiador inglés Eric Hobsbawm nos dice que las revoluciones se pueden considerar como concluidas cuando se consolidan, es decir, cuando el peligro de una contrarevolución interna o del exterior deja de ser significativo. Según Hobsbawm, las posibilidades de una contrarrevolución triunfante dependen de la capacidad de los revolucionarios de asegurar la estabilidad del nuevo orden. Es importante, por lo tanto, distinguir entre el proceso revolucionario en sí y la dinámica de un orden posrrevolucionario.

La desarticulación del socialismo en la URSS a finales de los ochenta y principios de los noventa, por ejemplo, no se puede analizar a la luz de los mismos presupuestos que se hubieran aplicado si el socialismo no se hubiera consolidado durante los años veinte y treinta. Entonces el fracaso hubiera respondido a la dinámica de la revolución bolchevique y a la incapacidad o a la imposibilidad de consolidar el socialismo sobre las ruinas de la vieja Rusia zarista y en las condiciones internacionales de entonces. Hoy el fracaso del socialismo en la URSS tiene que analizarse con perspectiva histórica, tomando en cuenta, entre otros factores, las transformaciones alcanzadas durante más de siete décadas, el contexto internacional, la forma en que se ejerció el poder político, y las razones primero del estancamiento y luego del retroceso económico que comenzó a hacerse evidente durante la década de los setenta. El programa de Gorbachov no puede verse como el factor que socavó al socialismo y desintegró a la URSS. Las raíces de lo sucedido recientemente se encuentran en la historia de la revolución bolchevique y de la sociedad que se consolidó a partir del ascenso de Stalin al poder.

Partiendo de Hobsbawm y del ejemplo de la experiencia soviética concluyo que el proceso revolucionario en Cuba terminó en 1970. A fines de la década de los sesenta, la dirigencia revolucionaria intentó crear un socialismo a la cubana. A principios de la década, luego que la contrarrevolución interna había sido prácticamente eliminada y los Estados Unidos derrotados en Playa Girón, los dirigentes cubanos comenzaron a organizar el nuevo estado en base a la experiencia de los países socialistas. En aquel entonces el modelo de partido de vanguardia y economía planificada parecía adecuado para mantener el poder y lograr el desarrollo económico. La emulación del socialismo real y existente, sin embargo, nunca fue exacta. La realidad cubana no lo permitía: la revolución tenía profundas raíces históricas y populares, Fidel era un líder extraordinario que difícilmente se ajustaba a los parámetros de la ortodoxia, y los Estados Unidos un poderoso e implacable enemigo. A mediados de los sesenta, toda una serie de factores internos y externos condujeron al abandono del primer intento de institucionalización y al lanzamiento del experimento radical. Los lineamientos del socialismo a la cubana, no obstante, nunca fueron claramente expuestos. Los dirigentes cubanos pospusieron la elaboración del modelo hasta después de la zafra de 1970 cuando confiaban disfrutar de una mayor independencia económica como resultado de las divisas generadas por los 10 millones y el subsiguiente acelerado ritmo de producción azucarera. Es decir, los dirigentes cubanos buscaban una relación más balanceada con la URSS y así —para decirlo en cubano— construir el socialismo como les diera la gana.

Pero ésa es la historia que no sucedió. La zafra del año 70 produjo unas 8.5 millones de toneladas. El incumplimiento de 1.5 millones de toneladas fue, sin embargo, sólo el símbolo del fracaso. La economía había prácticamente colapsado. El orden institucional era inexistente o muy débil. El ausentismo laboral, especialmente en Oriente, era alarmante y un indicio irrefutable de que los incentivos morales por sí solos no motivaban a las grandes mayorías —las mismas mayorías que habían apoyado a la revolución en los momentos decisivos de 1959 y 1960, pero que no respondían de la misma forma ante las exigencias de la vida cotidiana. Como me contestara Carlos Rafael Rodríguez a una pregunta que le hice sobre la década de los sesenta, en una ocasión en que un grupo del cual formaba parte tuvo la oportunidad de conversar con él, el pueblo cubano había asumido una actitud de "resignación de apoyo".

Después de 1970, el reto era institucionalizar la revolución a fin de involucrar a esas grandes mayorías —si no con las mismas energías de principios de los 60, porque simplemente no era posible, al menos con entusiasmo y sin resignación— en el ordenamiento de la sociedad cubana. El proceso de institucionalización, sin embargo, se emprendió sobre el fracaso del experimento radical, es decir, sin un margen significativo de inciativa propia que precisamente había sido agotado en el empeño de fines de los sesenta. La consolidación del socialismo en Cuba, pues, procedió —y esta vez sí se encaminó— a partir de la experiencia de los entonces países socialistas, especialmente la de la URSS.

La crisis que hoy evidentemente azota a la sociedad cubana se debe, por lo tanto, principalmente al socialismo y no a la revolución. Digo principalmente al socialismo y no a la revolución. Digo principalmente porque, como casi siempre sucede cuando analizamos fenómenos sociales, las generalizaciones no son absolutas. A pesar de mi convencimiento de que sociológicamente la categoría de revolución no es aplicable a la Cuba actual, política e intelectualmente no se pueden ignorar tres realidades: primera, los presentes gobernantes cubanos son básicamente revolucionarios de 1959; segunda, un porciento significativo de la población, al igual que los dirigentes, tiene una inversión psicológica-emocional en la "revolución"; y, tercera, la revolución y la nación están íntimamente ligadas y, hasta ahora, aun para los que hoy no se consideran ni revolucionarios ni socialistas, ha sido difícil imaginarse cómo sería —o si sería posible— la existencia digna de Cuba como nación si se descartaran las premisas de los últimos 33 años. El que Cuba no sea un país en revolución, por lo tanto, no quiere decir que la idea de la revolución y sus logros, es decir, la independencia nacional con relación a los Estados Unidos y el compromiso con la justicia social, no tengan vigencia en la sociedad cubana. Se quiere decir que para acercarnos a esa sociedad con cierto grado de objetividad sociológica tenemos que identificar y entender en la medida de lo posible su dinámica real.

En mi opinión, una de las principales características de esa dinámica es la tensión que existe entre el hecho de que la idea de la revolución sigue teniendo vigencia para la dirigencia —en primer lugar para Fidel Castro— y un sector importante de la población y la realidad de que la sociedad cubana, transformada por la revolución social, ya no responde a las exigencias de una revolución. Es decir, una dimensión importante de la actual crisis cubana se debe precisamente al éxito de la revolución. Los últimos 33 años han transformado a la vieja Cuba acentuando sus características modernas y extendiéndolas a lo largo de la isla. La revolución profundizó el perfil avanzado relativo al resto de América Latina de la Cuba de los 50. Si antes los cubanos en su mayoría vivían en zonas urbanas (57%), se morían más frecuentemente de las llamadas enfermedades modernas (corazón, cáncer, embolias), tenían acceso a más televisores, radios y periódicos, y tenían niveles de analfabetismo inferiores a los de la mayoría de los latinoamericanos, hoy en día ese perfil se ha profundizado y extendido. Dos importantes indicadores de esa modernidad son el grado de concentración urbana, que es de alrededor del 75%, y el perfil educacional de la fuerza laboral. A mediados de los ochenta, la fuerza laboral constaba de 3.3 millones de personas, de las cuales casi el 40% tenían nivel de secundaria básica, es decir, noveno grado, 16% nivel técnico, 12% el pre-universitario. Durante los años 50, el 60% de la población tenía un nivel de tercer grado o menos.

El hecho de que la revolución haya "modernizado" aún más a la sociedad cubana tiene consecuencias un tanto irónicas. Nos queda mucho por analizar y entender sobre la vieja Cuba, pero uno de los temas que se ha debatido es el peso relativo de la clase media antes de 1959. La ironía radica en que, gracias a la revolución, hoy sí se puede afirmar que los sectores medios de la sociedad cubana tienen un peso importante que debiera ser decisivo para el desarrollo del país. Bien se pudiera argüir que uno de los logros más significativos de la revolución es la ampliación numérica y geográfica de la clase media. Ahora bien, el problema es que una sociedad transformada por una revolución no se puede gobernar de la misma forma o prácticamente de la misma forma que una sociedad en revolución como era Cuba durante los años sesenta. La primera de dos consecuencias que emanan de la tensión entre la vigencia de la idea de la revolución y la realidad de la actual sociedad cubana es, por lo tanto, la política.

El modelo político de partido único que la revolución adoptó desde principios de los sesenta y que institucionalizó a partir de los años setenta hoy se encuentra en absoluta bancarrota. Si el vanguardismo históricamente fue útil para tomar el poder y consolidarlo, su defensa es hoy imposible, excepto quizás como medio de retener el poder, y aún así, no a largo plazo. Sin oposición no hay política y sin derecho a disentir no hay democracia. Los esfuerzos del gobierno cubano por "perfeccionar" el sistema político no contemplan ofrecerle a la ciudadanía otra opción que el socialismo, el Partido Comunista y Fidel Castro. La actual dirigencia cubana no concibe otra visión de la nación cubana sino la que ellos —justa y dignamente— han defendido durante tres décadas. Me pregunto: esa ciudadanía, esos graduados universitarios, técnicos medios, obreros clasificados, que en su mayoría nacieron o se hicieron adultos después de 1959, ¿no tendrán ideas propias y distintas a las de la dirigencia tanto acerca de la coyuntura que enfrenta Cuba como acerca de la nación cubana? Supongo que sí, en algunos casos sé de hecho que así es, pero no sabemos porque el sistema político carece de los medios y no ofrece las garantías para que regularmente se ventilen diferencias de opinión y, muy especialmente, proyectos y visiones diferentes.

A finales de diciembre de 1991, no obstante, Carlos Aldana, secretario ideológico del Partido Comunista Cubano (PCC), leyó un informe ante la Asamblea Nacional del Poder Popular, en el que nos daba una idea de algunas de las corrientes de pensamiento en los sectores medios. Nos dice Aldana:

> Creo también que constituye una parte blanda de nuestra sociedad cierto segmento que pudiéramos ubicarlo en el seno de nuestras capas medias... que se ha ido constituyendo poco a poco en el exponente de una percepción de la situación del país y de sus posibles soluciones a partir del nivel de vida que ellos han alcanzado... desde una óptica pequeñoburguesa... no comprenden la verdadera prioridad de la Revolución, empiezan a conformar un pensamiento del cual ya nosotros vimos algunas señales en la discusión del Llamamiento al IV Congreso del Partido y nos hemos enfrentado en algunas discusiones —que viene

reflejando las consecuencias del desmerengamiento, que viene reflejando el pesimismo y el fatalismo de una lectura mediocre de la historia, y una falta de fe en nuestro pueblo, en sus potencialidades y en la veracidad de nuestras posiciones y de nuestra política.

El mero hecho de que se mencionen estas corrientes en un discurso en el cual se arremetió contra el movimiento disidente, sectores intelectuales y la iglesia Católica, me hace suponer que no son pocos los que las suscriben. Es posible que estos segmentos pretendan defender su nivel de vida relativamente privilegiado. Pero, también es posible que, además de sus propios intereses, estos sectores tengan ideas y proyectos que ayuden al país. O, ¿es que sólo los que están en el poder tienen una visión desinteresada? ¿No cabe la posibilidad de que, bajo la retórica de defender a Cuba, a la revolución y al socialismo, los que detentan el poder también estén defendiendo sus intereses particulares? No creo que sea saludable tomar al pie de la letra la retórica de los políticos en ningún país, ni creo que nadie sea infalible; por lo tanto, respondo que no, que en la sociedad cubana —de nuevo, precisamente, por los logros de la revolución— hay mucha gente con capacidad y con ideas y respondo que sí, que independientemente de la sinceridad de muchos de los que hoy están en la cúspide del poder, ellos también defienden intereses personales.

La cuestión fundamental, sin embargo, gira alrededor de la legitimidad del actual gobierno cubano. Para los gobernantes cubanos, la revolución de 1959 y su siguiente trayectoria constituyen la base de su legitimidad. Ellos además defienden la tesis de los "100 años de lucha", es decir, la continuidad histórica entre los mambises del siglo 19 y los revolucionarios de 1959, y afirman que sólo bajo Fidel y el PCC se podrá mantener Cuba como nación. La pregunta es si la incuestionable legitimidad de la revolución y de sus logros son suficientes para legitimar al gobierno cubano y renovar el apoyo popular en la década de los noventa. Mi respuesta es que no, no sólo por el decursar del tiempo y porque los cubanos de hoy no son los mismos de 1959, sino principalmente porque para legitimar y renovar se necesitan instituciones, se necesitan espacios en la sociedad, se necesita la confrontación de ideas y de proyectos. Luego de los acontecimientos en la ex-URSS y Europa del Este y por la propia experiencia cubana, es difícil, por no decir imposible, aceptar que un partido único sea capaz de sentar a largo plazo las bases para renovarse y legitimarse y de emprender un verdadero proceso de democratización.

Los dirigentes cubanos, no obstante, sostienen que la confrontación con los Estados Unidos exige una unidad férrea: se arguye que mientras el gobierno norteamericano persista en su política de hostigamiento y confrontación, el gobierno cubano no puede permitir divergencias. Este tipo de argumento es un reflejo clásico de la mentalidad —indiscutiblemente necesaria— de la lucha clandestina para tomar el poder y del proceso propio de la revolución. Si luego de 33 años, el gobierno cubano tiene que acudir a lo que es esencialmente una lógica militar para gobernar y mantenerse en el poder, entonces las bases de su poder —sobre todo las perspectivas de reproducirlas en el futuro a corto y mediano plazo o en el momento en que ocurra la transición de la generación revolucionaria— son bastante frágiles. Cuba sin duda ha enfrentado una dramática situación: la enemistad del país más poderoso del planeta fue un factor decisivo en la forma en que la revolución se consolidó. Sin esa unidad, la consolidación probablemente no se hubiera dado. Esa unidad, sin embargo, a pesar de sus costos, era real, pues contaba con el apoyo de una abrumadora mayoría del pueblo cubano.

No obstante, una vez consolidada la revolución, gobernar al país con el mismo estilo a la larga ha resultado ser contraproducente. Respuestas "militarizantes" a la muy particular "guerra de baja intensidad" que los Estados Unidos han conducido contra Cuba han contribuido decisivamente a la crisis actual en Cuba. Esa crisis se avecinaba con o sin el derrumbe del mundo socialista, aunque, sin duda, los sucesos a partir de 1989 la agravan y la aceleran. Subrayo, sin embargo, que entender la crisis cubana principalmente en términos internacionales es perder de vista la dinámica nacional y, por lo tanto, no apreciar los orígenes cubanos de la misma. El brusco cambio de las condiciones internacionales es parcialmente "una cortina de humo", pues desvía la atención de, entre otras cosas, la forma en que se ha ejercido el poder político y la creciente incapacidad del modelo de asimilar las profundas transformaciones ocurridas en la sociedad cubana.

En mi opinión, en Cuba hoy en día existe un consenso popular: ni Más Canosa ni los americanos, por una parte, y por otra, que es la otra cara de la moneda, soberanía y justicia social. Ese consenso, sin embargo, no se traduce necesariamente en un apoyo mayoritario al gobierno ni a Fidel. Esa es mi opinión y otros podrán tener otras opiniones. Y subrayo lo de opiniones: la sociedad cubana, transformada por la revolución, carece de mecanismos confiables y estables que permitan verdaderamente aquilatar los estados de opinión pública. Un aspecto central de la crisis de hoy es, por lo tanto, la ausencia de un orden político que renueve al socialismo a largo plazo.

La segunda consecuencia de la tensión entre la idea de la revolución y la realidad del socialismo en la Cuba actual es económica. Al triunfo de la revolución, Cuba se encontraba en un momento de transición. La economía azucarera estaba virtualmente estancada, aunque las guerras en Corea y Suez hayan proporcionado mayor demanda y precios favorables. Existían, además, perspectivas para modernizar al sector azucarero y desarrollar sus derivados. Aquello de que "sin azúcar, no hay país", sin embargo, estaba perdiendo su poder persuasivo. Durante la década de los cincuenta, la economía cubana —si bien lentamente— comenzaba a moverse en otras direcciones: la rápida industrialización, sobre todo en La Habana y Matanzas; desarrollo de otros renglones agrícolas; el turismo; la transformación de la ganadería; y la modernización prospectiva de la industria azucarera y el desarrollo de sus derivados. Las actividades del "bajo mundo" —juego, prostitución, drogas, lavado de dinero— también comenzaban a proliferar, sobre todo en La Habana. La revolución truncó el modelo de capitalismo dependiente que ya se vislumbraba durante los cincuenta y le imprimió al desarrollo cubano el sello del socialismo.

En contenido, sin embargo, el gobierno revolucionario partió de premisas muy parecidas a las de los reformistas, sobre todo a las de los industriales: la diversificación de la economía mediante un programa de sustitución de importaciones, un desarrollo agrícola no azucarero y la ampliación del mercado interno. La revolución, claro está, se enfrentó con el problema de los Estados Unidos y cómo sobrevivir sin acceso al mercado americano.

Sin la revolución, Cuba se hubiera insertado fácilmente a las transformaciones entonces incipientes de los vínculos de las economías latinoamericanas con el mercado internacional y hubiera experimentado cambios parecidos a los que experimentaron otros países latinoamericanos bajo las nuevas modalidades del capitalismo dependiente. Por la revolución, Cuba tuvo que buscar otros resortes y los encontró en la URSS. Las condiciones de la Guerra Fría, por lo tanto, fueron, en cierto sentido, favorables para Cuba. Sin la URSS, la revolución no se hubiera consolidado o lo hubiera hecho de manera muy diferente, haciéndole concesiones a la burguesía y pactando con los Estados Unidos. Por la disposición de la URSS de asumir el papel de, por decirlo de alguna manera, mentor de Cuba, la revolución se consolidó y el gobierno cubano sobrevivió. Las circunstancias de la Guerra Fría, por lo tanto, permitieron que Cuba lograra su independencia de los Estados Unidos.

Durante los años sesenta, las estrategias de desarrollo se centraron primero en la industrialización y luego en el sector azucarero. El fracaso de la primera llevó a la articulación de la segunda. Ambas buscaban el fortalecimiento de la economía a fin de lograr una relación más equilibrada con la URSS y más diversificada con el mercado internacional. Ambas fracasaron por razones múltiples y complejas. La búsqueda de modelos propios —del socialismo a la cubana— estuvo estrechamente ligada a estas estrategias de desarrollo. Un aspecto fundamental de la "herejía cubana" de aquella época era la de hacer de la "conciencia" un recurso económico: la controvertida posición acerca de los incentivos morales. La zafra del 70 puso fin al experimento radical y los intentos de forjar modelos alternos. Los años setenta y ochenta se desarrollaron en otras direcciones. En primer lugar, el gobierno cubano aceptó —situación que había considerado transitoria durante los sesenta— la dependencia de la URSS. Es decir, forjó planes de desarrollo que integraban a la economía cubana cada vez más al Consejo de Ayuda Mutua Económica (CAME) y, sobre todo, a la URSS. Cuba no tenía otra alternativa y entonces nadie se hubiera imaginado, como me dijera un amigo de la isla no hace mucho, que las pirámides de Egipto se iban a desmoronar. La producción azucarera se insertó en el centro de la nueva estrategia: Cuba produciría azúcar para el mundo socialista.

El grado de diversificación de la economía cubana se ha debatido hasta la saciedad y no quiero detenerme sobre las disquisiciones de este debate. Me basta señalar que Cuba evidentemente sigue sufriendo de un significativo grado de monocultivo y de dependencia comercial pues, de lo contrario, el derrumbe de la URSS y Europa del Este no le hubiera afectado de la forma en que lo hizo. Y no es sólo el azúcar y el grado de concentración de comercio con la URSS sino también el nivel de dependencia sobre los insumos de todo tipo —bienes de capital, materias primas, bienes de consumo— que provenían del exterior sin los cuales los niveles de desarrollo alcanzados, incluso los sociales, son imposibles de mantener a largo plazo. Si a esto le añadimos la deuda externa, el aumento significativo del persistente desbalance comercial y los alarmantes déficits fiscales que se hicieron evidentes durante los ochenta, la situación actual de la economía cubana es, sin duda, gravísima.

Para enfrentarse a ella, el gobierno cubano ha trazado una estrategia que incluye el desarrollo del turismo, la exportación de productos farmacéuticos y otros del renglón de la biotecnología, la atracción del capital extranjero y el desarrollo de nuevos socios comerciales a fin de, poco a poco, superar el déficit que dejó el colapso del mundo socialista. En lo que respecta a la economía interna, se le está dando prioridad al programa alimentario, es decir, al desarrollo de la agricultura para satisfacer con regularidad y cierta variedad el consumo interno.

No me siento optimista del éxito de esta estrategia. Las condiciones internacionales no favorecen a Cuba. ¿Cuál es el atractivo de invertir en Cuba cuando está Europa del Este, la ex-URSS y países del Tercer Mundo como México y la India donde las nuevas corrientes económicas se arraigan? ¿Dónde están los incentivos de invertir en un país en el cual —independientemente de lo acertado del juicio— se esperan, más temprano que tarde, cambios fundamentales? El turismo y los productos biotecnológicos no parecen capaces de generar las divisas suficientes que le permitan al país comprar el petróleo que necesita a precios del mercado mundial. Por otra parte, internamente, se trata de un gobierno que nunca se ha distinguido por su capacidad de gestión económica y de una fuerza laboral que si bien está calificada y saludable —condiciones excepcionales— se ha mostrado bastante impermeable a los incentivos que ofrece el socialismo. En otras palabras, me cuestiono seriamente la viabilidad del socialismo en Cuba por dos razones: porque los soportes internacionales que lo hicieron posible ya no existen y las perspectivas de sustituirlos no son buenas y porque el socialismo en Cuba y en otras partes no promovió incentivos al trabajo que suplantaran a los del capitalismo.

Ante esta terrible coyuntura, la retórica de los dirigentes cubanos es la de mantener el socialismo a toda costa. Es cierto que están tomando medidas en torno al sector externo y del turismo que presagian un cierto grado de economía mixta. El VI Congreso del PCC asimismo acordó permitir ciertas actividades de trabajo por cuenta propia y recientemente el gobierno les alzó los precios a muchos productos agrícolas a fin de incentivar la producción. No obstante, hasta ahora estas medidas son más bien periféricas, es decir, no se enfrentan a los problemas básicos de organización y eficiencia de la economía cubana. Por ejemplo, la respuesta al creciente desempleo ocasionado por la racionalización del aparato estatal y el funcionamiento reducido de los sectores productivos ha sido movilizar a los desplazados hacia las labores agrícolas. Las movilizaciones no pueden ser una solución permanente al desempleo que desgraciadamente es inevitable. Más lógico sería, por ejemplo, permitir la pequeña propiedad privada en los sectores de servicios y quizás incluso en la producción de algunos bienes de consumo. Esta opción, así como la de los mercados campesinos, ha sido rechazada, al menos por el momento.

Lo que he estado argumentando es que el socialismo en Cuba sencillamente no es viable a largo plazo. No lo es por razones políticas y por razones económicas, por razones internas y por razones externas. Hay que preguntarse si las estrategias políticas y económicas del gobierno pueden realmente establecer bases sólidas que renueven el *statu quo* sin descartar las premisas de los últimos 33 años. Mi respuesta es evidente: no lo son. Si se trata de mantener en el poder a los que hoy ahí se encuentran, a mediano plazo la política adquiere más sentido. La coyuntura en que se encuentran los dirigentes cubanos es, en cierto sentido, parecida a las que se vieron los sandinistas y los revolucionarios salvadoreños. Claro está, no es lo mismo haber estado en el poder 33 años que 11 ó no haber llegado a ejercerlo. No obstante, la crisis y sus orígenes han socavado las premisas de la últimas tres décadas y es urgente buscar nuevas alianzas y abrir nuevos espacios a fin de superarla. Continuar en lo mismo, o casi lo mismo, es arrinconarse en un callejón sin salida.

Hace un par de meses el periódico *Granma* publicó un editorial en el cual se descartaba la posibilidad de que existiera una tercera opción entre "el imperialismo y la Revolución". Pese a *Granma*, pienso que la única manera de salvaguardar la herencia de la revolución es precisamente abriendo ese espacio entre lo que propugnan los elementos más reaccionarios de la comunidad cubana en el exterior y la administración Bush y la intransigencia del gobierno cubano. Sólo si se articula un discurso nacionalista y de justicia social que incorpore las nuevas realidades nacionales e internacionales se logrará una transición —inevitable tarde o temprano, ya que es difícil que la política actual sobreviva a Fidel— que no rechace la herencia de la revolución. A mi juicio, mientras más tiempo dure la intransigencia, más polarizada será la transición.

La Cuba que aún puede ser demanda, por lo tanto, una enorme creatividad, una gran valentía y una profunda tolerancia. Las dos primeras condiciones han abundado en la historia de Cuba. De la tercera adolecemos los cubanos en todas partes. La coyuntura en que actualmente se encuentra Cuba parece estar predeterminada a una salida violenta que concluya implantando un capitalismo feroz y descartando tajantemente la herencia de la revolución. Durante los años cincuenta pocos se imaginaban lo que fue posible después de 1959, sobre todo porque existían las condiciones estructurales y conyunturales que la avalaran sino además porque hubo una dirigencia política que supo canalizar esa potencialidad en la sociedad y en las vidas de los cubanos de entonces. Asimismo, la alternativa, o alternativas, a la revolución para las cuales también existían una serie de condiciones favorables no se dio, en buena medida, por la incapacidad de los que la apoyaban de materializar un programa político que la cuajara.

Hoy la coyuntura, de cierta manera, no es muy diferente. La Cuba que aún puede ser —una Cuba que incorpore la herencia de la revolución en una sociedad democrática y de economía mixta— requiere que surja una alternativa al gobierno cubano que tenga credibilidad y legitimidad, que incorpore a la revolución, y que articule un nuevo discurso nacional. No estoy pintando un cuadro idílico. Pase lo que pase, las perspectivas económicas son pobres a corto y mediano plazo. Indudablemente que Cuba tiene un enorme potencial en el llamado capital humano que tarde o temprano le rendirá frutos. Y es precisamente ese factor humano —en gran parte transformado por la revolución— lo que hace cada día menos viable al *statu quo*. La intransigencia ante la tercera posición parece ser la respuesta del gobierno cubano. Las voces organizadas en Miami y la administración Bush sin duda complementan esa intransigencia. Subrayo, no obstante, que nada está verdaderamente predeterminado y que los seres humanos tenemos un grado sorprendente de iniciativa histórica. La reflexión crítica sobre la historia de Cuba, la experiencia de la revolución y el socialismo pudieran ayudar a generar un nuevo discurso pluralista y tolerante que contribuya a imaginarnos una Cuba que supere los últimos 33 años sin repetir la que existió hasta 1959.

CAPÍTULO 8

EL CARIBE EN LA POLÍTICA
EXTERIOR DE CUBA

Gerardo González Núñez

Hace poco más de treinta años el Caribe era incapaz de concitar la atención particular de especialistas y, por tanto, de ser revelado en sus características diferenciadoras. Luego de la irrupción de la Revolución Cubana, de la intervención norteamericana en República Dominicana y de los procesos de descolonización gradual en las posesiones británicas iniciados en 1962 dicha indiferencia y visión comenzaron a ser modificadas, porque sin lugar a dudas esos acontecimientos contribuyeron a mostrar la región caribeña en lo que es: una región con una muy singular y particular fisonomía.

Este reconocimiento es extensible a las relaciones internacionales en el área, relaciones que varios autores han concordado en reconocer que se tornaron conflictivas a partir de la década de los sesenta: de ahí el inusitado interés que ha despertado su estudio.

El punto que marca el advenimiento de un ambiente de conflicto en las relaciones internacionales en el Caribe lo fue el triunfo de la Revolución Cubana en enero de 1959. En efecto, el proceso revolucionario cubano subvirtió la dinámica geopolítica de la región al constituirse en un desafío a la tradicional hegemonía norteamericana. Pero este desafío tuvo su precio al tener que enfrentar la perenne agresividad de los Estados Unidos, en un esfuerzo por tratar de destruir la experiencia revolucionaria y evitar que su influencia se enraizara en América Latina y el Caribe: para ello ensayaron todo tipo de agresiones económicas, militares y político-diplomáticas.

En medio de este escenario adverso hubo de efectuarse la profunda transformación económico-política de la sociedad cubana, bajo el proyecto socialista asumido por su liderazgo. La política exterior de Cuba ha sido parte esencial de ese proceso de cambios, del cual ha emergido con un nuevo carácter y contenido, pero sobre todo como un formidable instrumento de la supervivencia y consolidación de la Revolución y de la salvaguardia de la independencia nacional.

En virtud de estas consideraciones el presente trabajo pretende caracterizar las relaciones y la política exterior de Cuba con el Caribe, fundamentalmente en su dimensión interestatal.[1]

---

[1] Este trabajo es una versión muy abreviada de uno mayor, publicado por EDICIONES CIPROS, República Dominicana, octubre de 1991. En la versión original se desarrolló además una muy sumaria caracterización de las sociedades caribeñas, útil para poder deslindar lo común de lo diverso y aproximarnos a la complejidad de la región para entender las proyecciones de los países que la integran. En otro espacio se abordaron los principios y objetivos globales de la política exterior de Cuba y los factores que inciden en su diseño. Teniendo en cuenta la diversidad de actores regionales y los desiguales grados de vínculos de cada uno de ellos con Cuba, particularizamos algunos casos de relevancia que tipifican diversos

Intereses, objetivos y condicionantes
de la política cubana en el Caribe

El examen de las relaciones y la política de Cuba hacia el Caribe debe partir de la evaluación de sus intereses nacionales en el contexto sociohistórico de los últimos treinta años y de los que se han percibido como comunes con las naciones de la región, por tanto debe transcender las motivaciones culturales e históricas sobre las que se ha sustentado determinada afinidad caribeñista.

Lo primero que se advierte en este examen es la preeminencia del interés político-estratégico vinculado al factor de seguridad. Esto responde a diversos elementos. En primer lugar, el Caribe es el área de inserción geográfica de Cuba. De ahí que su entorno más inmediato lo constituyen los países allí ubicados, con lo que esto implica en términos de influencia sobre Cuba de situaciones de inestabilidad que se den en dichas naciones. En segundo lugar y más definitorio, Cuba está insertada en el espacio geopolítico de la potencia continental que no admite cambios en el balance político ajenos a sus intereses hegemónicos, por lo que el Caribe se ha convertido en el contexto geográfico de la hostilidad norteamericana, principalmente en su dimensión militar, contra el proceso revolucionario.

Por estas consideraciones la política exterior cubana en la región ha estado enfilada a garantizar, en primer orden, la

---

tipos y grados de relaciones. Igualmente se abordaron los vínculos de Cuba con los organismos económicos regionales y la posición cubana frente al problema colonial en el área. Finalmente se valoró en extenso el comportamiento de dichas relaciones y la política seguida, así como nuestra visión del futuro de los vínculos de Cuba y el Caribe.

seguridad del territorio nacional y la supervivencia de la Revolución, en el entendido de que una mayor influencia de Cuba en el Caribe serviría para crear un consenso favorable útil para disuadir cualquier acción intervencionista y de aislamiento por parte de los Estados Unidos.

La necesidad de influenciar y los medios para lograrlo (léase las políticas) se legitiman por de la propia hostilidad de los Estados Unidos y por la vinculación de gobiernos y sectores políticos de la región a esa hostilidad. La legitimidad de tal acto se basa en el apego de Cuba a las normas del derecho internacional que regulan las relaciones entre los estados. En tal sentido, Cuba ha manejado su política en función de sus intereses de seguridad entendida como acción de disuasión y no de dominación ya que reconoce que no se puede aspirar a una seguridad propia afectando la de los demás. Pero este reconocimiento lo ha sustentado sobre la base de la más estricta reciprocidad.[2]

---

[2] La postura cubana al respecto ha sido meridiana tanto para el Caribe como para el resto de América Latina: "...cuando un grupo importante de países de América Latina, actuando bajo la inspiración y la guía de Washington, no sólo trataron de aislar políticamente a Cuba sino que la bloquearon económicamente y contribuyeron a las acciones contrarrevolucionarias con que se pretendió derrotar a la Revolución, nosotros replicamos, en un movimiento de legítima defensa, ayudando a todos los que en aquellos años quisieron luchar contra tales gobiernos. No fuimos nosotros lo que iniciamos la subversión, sino ellos. Pero, de la misma manera, puedo asegurar categóricamente que ningún gobierno que haya mantenido relaciones correctas y respetuosas hacia Cuba en la América Latina ha dejado de tener, a la vez, el respeto de Cuba". Fidel Castro, entrevista concedida a Patricia Sethi, corresponsal de *Newsweek, Bohemia,* 6 de enero de 1984.

Un segundo interés ha sido el fortalecimiento de la posición de Cuba en el Caribe, que se instrumenta en la consolidación de la Revolución como socialista, no alineada y caribeña. Esto está relacionado con la defensa consecuente de un grupo de intereses que son percibidos por Cuba como coincidentes con los del resto de los países caribeños, por compartir las mismas problemáticas derivadas de la hegemonía norteamericana y de las variaciones en el sistema internacional, aunque no se ha alcanzado el necesario consenso y niveles de concertación: 1) alcanzar la independencia real del Caribe liquidando el sistema de dominación de los Estado Unidos sobre la región, 2) lograr la unidad e integración económica y política de los países del Caribe y de estos con las demás naciones de América Latina, 3) luchar por un nuevo orden económico internacional que propicie una inserción del Caribe en el sistema económico mundial más independiente y que garantice su desarrollo.

Los intereses expuestos se constituyen en objetivos generales y estratégicos de la política exterior cubana en la región. Como objetivos estratégicos que son, la aproximación a su cumplimiento es todo un proceso en el tiempo que implica metas intermedias y jerarquización de unos por otros debido a una serie de condicionantes tanto exógenas como endógenas a Cuba, que propician u obstaculizan la proyección cubana hacia el Caribe.

Condicionantes exógenas

Actores extrarregionales

Debemos iniciar el análisis por los Estados Unidos, la potencia hegemónica con intereses reclamados en la región.

Históricamente los Estados Unidos han considerado al Caribe como su tercera frontera, es decir, como parte de su sistema de seguridad,[3] por lo que la región ha sido en mayor o menor medida foco de interés y preocupación por parte de las sucesivas administraciones norteamericanas.[4]

El interés y preocupación por el Caribe se incrementaron con el triunfo de la Revolución Cubana. Este hecho y el posterior desarrollo del proyecto socialista cubano introdujeron en la percepción norteamericana la noción de que el conflicto Este-Oeste se reproducía en sus fronteras al emerger un país que actuaba como "satélite" de la Unión Soviética. En este contexto los Estados Unidos perciben a Cuba como un "peligro" para la estabilidad política de la región al considerarla como "la fuente" de todos los problemas del área. Esta percepción ha sido irradiada hacia el exterior en múltiples formas con el ánimo de aislar a Cuba; de ahí que todo intento por establecer algún tipo de relación con nuestro país se perciba como potencial peligro para los intereses norteamericanos y por lo tanto lleve implícito la generación de medidas de presión para desestimular esos intentos. Esto ha obligado a las naciones del Caribe a tomar como referente para su proyección hacia Cuba, la extrema sensibilidad norteamericana con respecto al tema cubano, lo cual explica por qué dicho tema es altamente sensible y

---

[3] En rigor, los Estados Unidos han conceptualizado como área sensible a su seguridad nacional a la Cuenca del Caribe, integrada por el Caribe y Centroamérica.

[4] La política de los Estados Unidos hacia el Caribe ha tenido significativas variaciones, activadas por factores que tienen que ver con los intereses globales de dicha nación, estas variaciones en modo alguno han significado un abandono de sus intereses en el área.

manejado con mucho cuidado por los gobiernos y partidos del área.

De lo que hemos apuntado se desprende que la confrontación Estados Unidos-Cuba tensiona el clima político del Caribe e influye en la decisión de acercamiento hacia nuestro país, tanto para estimularla como para reprimirla. La realidad lo ha demostrado: en los momentos en que los Estados Unidos han disminuido su hostilidad, se ha observado un mayor movimiento de las naciones caribeñas hacia Cuba; lo opuesto también se ha verificado.

Aunque no con la misma intensidad que representa la presencia norteamericana, la existencia de algunos países latinoamericanos con políticas más o menos persistentes hacia el Caribe en los últimos treinta años condiciona la proyección cubana. Destaca uno que ha consolidado una vocación caribeña en su política exterior global: Venezuela.[5]

El interés venezolano por el Caribe responde a factores de carácter económico y estratégico que tienen que ver con la seguridad nacional, los cuales han hecho al Caribe un área priorizada, con altibajos, de la política exterior de diferentes gobiernos.

Relaciones Caribe-América Latina

Históricamente las relaciones del Caribe angloparlante y América Latina se han caracterizado por antagonismos resultado de las percepciones que tiene cada grupo del otro.

América Latina ve a los estados caribeños anglófonos con subestimación y desconfianza. Subestimación, por su

---

[5]   Otros dos países han sido México y Colombia, pero no han mostrado una proyección caribeña coherente y constante.

pequeña extensión territorial y su menor desarrollo relativo; desconfianza porque los perciben como exponentes de los intereses británicos dada la serie de mecanismos que aún los mantienen fuertemente vinculados a Gran Bretaña. Esta desconfianza se acentuó cuando la guerra de Las Malvinas en 1982, en la que los estados caribeños de habla inglesa apoyaron a la ex-metrópoli.

Los caribeños ven a América Latina con indiferencia y recelo. Indiferencia porque observan que constituyen países cultural y económicamente diferente y por tanto con preocupaciones divergentes; recelo, porque perciben en algunos de ellos pretensiones hegemónicas. Estas suceptibilidades han sido alimentadas por la existencia de temas permanentes de conflicto, como son las disputas fronterizas Guatemala-Belice y Venezuela-Guyana y por otros hechos como la resistencia ofrecida a la entrada de Jamaica y Trinidad y Tobago a la OEA.[6]

En este contexto la posición de Cuba, en tanto que país caribeño y latinoamericano, es bastante compleja ya que las posiciones que ha tenido que asumir ante temas conflictivos de resonancia a uno u otro grupo de países, sino por intereses y principios bien delimitados en su política exterior; así ha apoyado a Belice y a Guyana frente a reclamos territoriales de sus vecinos, como a Argentina en sus reclamaciones a Gran Bretaña sobre el archipiélago de Las Malvinas, apoyo que sostuvo durante el conflicto bélico de 1982.

Sin embargo, esto no ha sido totalmente entendido cuando se ha fijado una posición en la línea de la mayoría de

---

[6] Cfr. Anthony Bryan, *Relaciones entre el Caribe anglófono y América Latina: realidades actuales y futuras perspectivas,* ponencia presentada al Seminario sobre Relaciones Interamericanas, CEA-LAGA, La Habana, junio de 1987.

los países latinoamericanos y contrapuesta a las posiciones caribeñas, como ocurrió durante el conflicto que enfrentó a Argentina con Gran Bretaña.

Percepciones sobre Cuba

Se pueden definir dos grupos de percepciones que han compartido los países caribeños sobre Cuba: como país socialista y como hispanoparlante.

Como país socialista se respeta, pero se desconfía de él. Se respeta porque ha sido capaz de resistir la hostilidad de los Estados Unidos y por la solución exitosa de problemas económicos y sociales comunes a todos los países de la región;[7] se desconfía, porque se perciben aspectos ocultos en las motivaciones cubanas en su proyección hacia el Caribe: para muchos caribeños no está resuelto el problema de separar la voluntad expresa de Cuba de establecer relaciones interestatales mutuamente provechosas, así como brindar su colaboración a todo país que lo necesite y solicite y su disposición a apoyar las causas revolucionarias.[8]

En el caso de los caribeños anglófonos, éstos incluyen a Cuba en sus percepciones sobre los países hispanoparlantes, pero no con el mismo nivel de antagonismo. En Cuba reconocen determinadas afinidades de intereses por su activismo tercermundista y en el movimiento de los no-lineados, por sus posiciones contra el racismo y el colonialis-

---

[7] Cfr. Franklin W. Knight, "Toward a new U.S. presence in the Caribbean", en Barry B. Levine (ed.), *The new cuban presence in the Caribbean,* Westview Press, Estados Unidos, 1983.

[8] Cfr. Carlos Romero, "Cuba y el Caribe Insular", en *Política Internacional, No. 9,* Venezuela, enero-marzo de 1988.

mo, por las amplias relaciones con los países africanos y, en general, por la sensibilidad mostrada por el factor etnoracial (raíz africana) en la formación de nuestra nacionalidad, factor que a su vez ha conformado una identidad cultural.

Condicionantes endógenas

Los factores anteriormente examinados tiene *per se* un peso sustancial para entorpecer posibles vínculos o acercamientos entre Cuba y el Caribe. No obstante, sus efectos pueden ser potenciados por la concurrencia, por la parte cubana, de elementos subjetivos y realidades objetivas que inciden en esta problemática.

A nuestro entender el principal elemento endógeno es que no ha habido una adecuada priorización del Caribe en la política exterior de Cuba, con la excepción de los años 70 en que nuestro país prestó su mayor atención a la región, aunque no a todos sus países con el mismo énfasis.

El que el Caribe no siempre haya sido considerado como un área preferencial en la política exterior cubana se debe a la amplia proyección de su política exterior y su potencialidad económica. Esto la llevó a priorizaciones de objetivos o áreas geográficas de interés determinadas por los cambios en la escena internacional.

Hemos señalado que el Caribe constituye un área básicamente de interés político-estratégico para la política exterior cubana. Sin embargo, apreciamos una dicotomía entre dicho reconocimiento y su no materialización en acciones políticas, lo cual es expresión de la inexistencia de unidad de criterios sobre el particular entre los actores institucionales cubanos. Es decir, no todos aprecian la importancia del Caribe para los objetivos de la política exterior de Cuba, al subestimarse el papel que pueden jugar estas naciones en el sistema internacional. Esto pudiera explicar por qué se ha sistematizado mucha más proyección hacia la América Latina que hacia el Caribe.

La subestimación del Caribe pudiera ser explicada por las dimensiones económico-geográficas de esas naciones. En este sentido, no se tiene en cuenta, por ejemplo, el papel jugado por algunas de las naciones caribeñas en el reconocimiento de Cuba como miembro de la comunidad latinoamericana y en el apoyo brindado a la candidatura de Cuba al Consejo de Seguridad de la ONU para el período 1990-91, que de no haberse producido hubiera puesto en peligro el consenso en el Grupo Latinoamericano (GRULA), con imprevisibles consecuencias para las aspiraciones cubanas. Estos dos ejemplos demuestran que, sin desconocer la capacidad de persuasión que puede tener una nación a tenor de sus potenciales económicas, muchas de las cuestiones en política internacional se dilucidan por decisión de votos y el Caribe tiene 15, virtualmente la mitad del voto continental, que lo convierte en una importante fuerza decisoria en el continente.

Se reconoce que hay que generar políticas diferenciadas porque no todas las naciones tiene las mismas peculiaridades, pero ello corresponde a la percepción histórica de considerar a Haití y a República Dominicana más insertadas en la realidad latinoamericana que caribeña, que a un acercamiento revelador de dichas características. Esto ha propiciado, en algunos momentos, que al tratar los problemas del Caribe anglófono se haya hecho bajo la influencia de una visión latinoamericanizada de los mismos. A nuestro modo de ver, esto es expresión de falta de una estrategia caribeña global que, basada en las percepciones y conocimientos sobre el sistema internacional y de la región en particular, permiti-

185

ría aplicar la política a seguir más idónea en cada situación y su corrección oportuna ante cada variación de la coyuntura económico-política regional.

En las priorizaciones a establecer entren en juego otro nudo contradictorio: los intereses político-estratégicos y los intereses económicos.

El considerar al Caribe de interés básicamente político-estratégico para Cuba no significa que se haya desdeñado una determinada importancia económica. Actores institucionales reconocen la factibilidad de la región para un desarrollo del comercio con Cuba y constituir un destino propicio, por su cercanía geográfica, para las exportaciones, en particular las de nuevo tipo, resultantes del desarrollo agropecuario e industrial alcanzado en nuestro país.. Quizás al acentuar demasiado el énfasis en la importancia política se haya perdido un poco las perspectivas de beneficios económicos recíprocos y, por lo tanto, se haya actuado consecuentemente.

Debemos reconocer que la fría revisión de las características del comercio entre Cuba y los países del Caribe nos conduce a una subestimación de estos últimos: los intercambios comerciales han sido muy inestables y han resultado en balanza positiva para Cuba y han representado un valor insignificante en proporción con el volumen general comercializado por nuestro país con el resto del mundo.

Con esta información se impone otro tipo de análisis. Sería absurdo pretender que el Caribe absorba porcentajes considerables de las exportaciones de Cuba, y que ésta obtenga allá un volumen significativo de las importaciones que necesita. De lo que se trata es que dentro de los límites estructurales del comercio entre Cuba y las naciones caribeñas se obtenga un máximo de beneficio de acuerdo a las mutuas posibilidades. En el caso de Cuba el máximo beneficio podría reportarse a escala sectorial, es decir, si bien el comercio con el Caribe no reporta volúmenes numéricamente apreciables a nivel macroeconómico, sí puede provocar un mayor impacto a niveles más concretos de la sociedad como proveedor de determinados recursos permanente o coyunturalmente deficitarios a nivel de sector o unidad empresarial (microeconomía).

Evolución de la política y las relaciones de Cuba con el Caribe

Con el ánimo de enmarcar el análisis de la política exterior cubana hacia el Caribe en el contexto de las variaciones que se han producido en el entorno regional latinoamericano desde 1959 hasta la fecha proponemos una periodización que nos posibilitará describir los principales hechos y tendencias en la evolución de la política y las relaciones de Cuba con los países de la región.

Período de proyección limitada hacia el Caribe (1959-1970). En este período la prioridad de la Revolución Cubana fue su supervivencia y consolidación, ante la hostilidad norteamericana, para crear las condiciones necesarias con vistas a la profunda transformación económico-política de la sociedad. La primera proyección hacia el Caribe de la nueva política exterior cubana estuvo referida a la relación crítica que mantuvo con los gobiernos de República Dominicana y Haití. Concomitante con el pensamiento antidictatorial que animó la lucha insurreccional en Cuba y con su política democrático-popular de los primeros meses, Cuba tipificó a los gobiernos de Trujillo en República Dominicana y de

Duvalier en Haití como dictaduras similares a la de Batista y por tanto componentes del sistema hegemónico norteamericano, expresando su solidaridad por la lucha de estos pueblos. En los foros internacionales los delegados cubanos denunciaron la violación de los derechos humanos y la ausencia de los principios más elementales de la democracia. "Cuba no solo instaba a la opinión publica y a las naciones del continente a combatir a esos regímenes, sino también proclamaba su derecho y decisión de brindar toda clase de ayuda a los revolucionarios de estos países, en su combate emancipador."[9]

En el caso especifico de República Dominicana las relaciones fueron tensas desde un inicio porque Trujillo dio refugio a ex-batistianos y apoyó acciones destinadas a derrocar el poder revolucionario.

Al calor de la disposición cubana de apoyo a la lucha contra estas tiranías, miembros de organizaciones revolucionarias de ambos países se juntaron en Cuba donde encontraron condiciones favorables para la organización de operaciones militares. La más significativa fue la expedición que desembarco en República Dominicana el 14 de junio de 1959 con el objetivo de crear un foco guerrillero en las montañas de aquel país; a las pocas semanas la incipiente guerrilla fue liquidada.

Este episodio, unido al incremento de la resistencia interna, elevaron la represión y el régimen de terror en el país, lo cual generó la condena de Cuba que se plasmó en la decisión de romper las relaciones diplomáticas, hecho que se produjo el 26 de junio de 1959.

---

[9] Gerard Pierre-Charles, *El Caribe a la hora de Cuba.* Ediciones Casa de las Américas, La Habana, 1981, p. 183.

Después de la ruptura de relaciones de Cuba con República Dominicana y bajo las presiones de Trujillo, los vínculos con Haití fueron alcanzando mayor tirantez y tuvieron su clímax con los dos atentados que se perpetraron contra el representante cubano en ese país.

El 13 de agosto de 1959 se produjo el desembarco en la costa meridional de Haití de un grupo de expedicionarios con el mismo objetivo que el de República Dominicana. El Canciller haitiano responsabilizó a Cuba por este expedición y acusó al Embajador cubano de conspirar para derrocar a Duvalier. Estas declaraciones motivaron el retiro del representante cubano: posteriormente se retiraron los consulados de Haití en Santiago de Cuba y en Camagüey.

Este período se caracterizó, igualmente, por el inicio del proceso de descolonización de las posesiones británicas en el Caribe, con la independencia de Jamaica y Trinidad y Tobago en 1962 y de Guyana y Barbados en 1966.

Cuba mantenía relaciones formales con Jamaica desde antes del triunfo de la Revolución, concretadas en la presencia de un consulado cubano en Kingston. Antes y después de la independencia, las autoridades jamaicanas no se plegaron a la campaña de aislamiento contra Cuba, y consintieron que permaneciera la representación consular y sobre todo con la actitud de no condicionar su ingreso a la OEA a una ruptura de relaciones con Cuba. No obstante, estas relaciones no rebasaron el nivel que implicaba la gestión consular.

Con Guyana se establecieron ciertos vínculos cuando el Partido Progresista del Pueblo (PPP), lidereado por Cheddi Jagan, formó gobierno en 1961. Los vínculos no llegaron a concretarse en relaciones diplomáticas porque la condición de colonia de Guyana se lo impedía, pero se desarrollaron relaciones comerciales y de cooperación técnica. Jagan solicitó el apoyo de Cuba para su gestión gubernamental, sobre todo en los momentos que enfrentaba una campaña desestabilizadora organizada por los Estados Unidos y Gran Bretaña. Cuba se la brindó atendiendo precisamente a la acción de hostigamiento que sufría interna y externamente y además como gesto de reciprocidad hacia un partido y un dirigente que habían manifestado su apoyo a la Revolución, particularmente en sus momentos más difíciles,como fueron la invasión de Playa Girón y la Crisis de Octubre. En 1964, cuando Jagan abandonó el gobierno, cesaron dichos vínculos.

Después de cesar los vínculos con Guyana, las relaciones de Cuba con el Caribe cayeron en un virtual vacío.

Período de auge de las relaciones (1970-1979). Este período se caracterizó particularmente por una expansión de las relaciones de Cuba con el Caribe angloparlante.

El mejoramiento de las relaciones del Caribe con Cuba se produce en una década caracterizada por el incremento de las contradicciones entre los Estados Unidos y los países latinoamericanos y caribeños debido a la profundización de las crisis económico-políticas en estos y la incapacidad de los primeros de ofrecer alternativas viables para resolver sus problemas culturales.

El nuevo escenario político surgido en los años setenta condujo a la ruptura del aislamiento de Cuba, al reconocer algunos gobiernos y sectores de diversos signos ideológicos su proceso socialista como una realidad política y la importancia de contar con su presencia en los esfuerzos de búsqueda de soluciones colectivas al problema del subdesarrollo. Varios países restablecieron relaciones diplomáticas con Cuba, que pasó a formar parte de algunos mecanismos de integración y cooperación regionales y continentales. Punto culminante de ese proceso fue la resolución de la OEA de 1975, que concedió plena libertad a los países del hemisferio para que pudieran decidir libremente el inicio o no de relaciones con Cuba al nivel que entendieran. A partir de entonces, las condiciones fueron más favorables para que Cuba pudiera fomentar las relaciones intergubernamentales con los demás países latinoamericanos y caribeños.

Se pueden discernir tres etapas:

Etapa de 1970 a 1972: El signo predominante de esta etapa fueron las posiciones positivas que comenzaron a manifestar hacia Cuba los cuatro principales países del Caribe angloparlante (Trinidad y Tobago, Guyana, Jamaica y Barbados), que se expresaron en sus pronunciamientos, con diversos matices, por el retorno de nuestro país al concierto de naciones latinoamericanas y caribeñas.

Estas posiciones se tradujeron en acciones concretas tendientes a recabar la presencia cubana en diversos foros regionales. Las más significativas tuvieron como escenario la OEA donde Trinidad y Tobago, Jamaica, y Barbados (Guyana no era miembro de la organización) se mostraron muy activas para eliminar la cláusula que impedía el restablecimiento de relaciones con Cuba.

En esta etapa, igualmente, se constató el interés, fundamentalmente de Trinidad y Tobago y Guyana, por establecer relaciones diplomáticas y comerciales con Cuba.

Etapa de 1972 a 1975: Marca esta etapa el anuncio en octubre de 1972 de los cuatro principales países del Caribe de habla inglesa de su decisión de establecer relaciones con Cuba, hecho que se materializó el 8 de diciembre del mismo año.

Las condiciones políticas existentes en el entorno continental, ya apuntadas en este epígrafe, favorecieron las políticas de acercamiento a Cuba. Habría que añadir otro elemento de importancia: por esos tiempos el Caribe no se encontraba en la agenda de las atenciones prioritarias de los Estados Unidos, ya que sus máximas preocupaciones estaban centradas en otros focos conflictivos, a saber, la guerra de Vietnam, el conflicto bélico árabe-israelí, la crisis del petróleo y otros.

El establecimiento de relaciones diplomáticas con Cuba no implicó una inmediata escalada en las mismas. Muchos años de desconocimiento recíproco aconsejaron un proceso previo de contactos exploratorios mutuos. Eslabones de este proceso fueron, en 1973, la visita de una delegación comercial integrada por representantes de los cuatro países y las entrevistas de Fidel Castro con Forbes Burnham, Michael Manley, Errol Barrow y Eric Williams en Trinidad y Tobago previas a la Cuarta Cumbre de los no Alineados.

Etapa de 1975 a 1979: Se caracterizó por una ampliación de la proyección cubana en la región, tanto en forma estatal como con actores políticos. Son años en que Cuba sostuvo contactos y vínculos, de diferentes modos y profundidad, con la mayoría de los países caribeños; se expandió la cooperación económica y científico-técnica y se vigorizaron los intercambios comerciales; se abrieron embajadas en Jamaica y Guyana y una oficina comercial en Kingston que controlaría todo el flujo comercial de Cuba con la región; institucionalmente también, se reforzaron los aparatos de atención al Caribe del Partido y del Ministerio de Relaciones Exteriores.

El auge de las relaciones de Cuba con el Caribe se produjo durante la administración de Jimmy Carter quién volvió a elevar la Cuenca a la máxima prioridad, aplicando una política que si bien no desdeñó el esfuerzo militar, se basó en la máxima utilización de recursos políticos y económicos para lograr desestabilizar a los gobiernos más progresistas, neutralizar los movimientos revolucionarios y reforzar la influencia norteamericana. Con relación a Cuba, se esforzó, en su primera etapa, en reducir los niveles de confrontación, lo cual contribuyó a distensionar el clima político del área.

En esta etapa se enmarcó la aprobación de la resolución de la OEA que daba plena libertad a los países latinoamericanos de establecer relaciones con Cuba. Jamaica, Trinidad y Tobago y Barbados desempeñaron un papel destacado en la aprobación de la misma.

El comportamiento de las relaciones bilaterales con las cuatro naciones más importantes del Caribe angloparlante ha sido desigual.

A partir de las visitas a Cuba de los primeros ministros de Guyana y Jamaica —Burnham y Manley respectivamente— y de las firmas de convenios de colaboración en diversas esferas las relaciones estatales adquirieron nuevos impulsos.

Con estos dos países existían importantes coincidencias de interés regional e internacional, principalmente la defensa de las aspiraciones y derechos del mundo subdesarrollado en contra de las pretensiones imperialistas. Estas coincidencias permitieron buenos niveles de coordinación en las Naciones Unidas, en las reuniones de los No Alineados y en otros foros.

El nivel de relaciones con Barbados y Trinidad y Tobago ha sido más bajo. Ambos países se han mostrado reticentes a una presencia cubana permanente en sus territorios, de ahí que las relaciones diplomáticas se han mantenido con el rango de embajadores concurrentes.

En este período nuevos estados independientes emergieron en la arena internacional; algunos de ellos, Bahamas, Santa Lucía y Surinam, decidieron establecer relaciones diplomáticas con Cuba,[10] como punto culminante de un proceso de contactos que se habían iniciado antes de la obtención de la independencia. Sin embargo, las relaciones no rebasaron el marco de la formalidad y el nivel de embajadores concurrentes, con la excepción, posteriormente, de Surinám.

Haití, en el marco de la política de "liberalización" implementada por Duvalier con vistas a mejorar su imagen internacionalmente, estableció negociaciones con Cuba sobre mecanismos y pasos a adoptar para la devolución de haitianos que naufragan en costas cubanas en sus intentos de emigración clandestina hacia Estados Unidos.

Durante esta etapa y bajo la Presidencia de Joaquín Balaguer, la República Dominicana y Cuba efectuaron algunos intercambios culturales y deportivos y se produjeron contactos a nivel gubernamental en una tendencia de mejoramiento progresivo de las relaciones. Esta tendencia se revertió cuando asumió la presidencia Antonio Guzmán, del Partido Revolucionario Dominicano (PRD) en 1978, quien en una posición contraria a lo que podía esperarse, dada su plataforma socialdemócrata, asumió actitudes percibidas como hostiles hacia nuestro país.

Período de deterioro de las relaciones (1979-1983). El derrocamiento de la dictadura de Gairy en Granada, el triunfo sandinista, el auge del movimiento insurreccional en El Salvador, la existencia de gobiernos con posiciones opuestas a los intereses imperialistas y el aumento del prestigio y las relaciones de Cuba con el área, modificaron la política de

---

[10] Bahamas estableció relaciones con Cuba el 30 de noviembre de 1974, Surinam el 3 de mayo de 1979 y Santa Lucía el 23 de agosto de 1979.

Carter hacia la Cuenca del Caribe destinada entonces a revertir los procesos de cambio. Con respecto a Cuba, incrementó las amenazas y los niveles de confrontación.

Ronald Reagan asumió la presidencia en medio de esta situación y se lanzó a recuperar las posiciones perdidas aplicando una política que, sustentada en una renovada percepción de la confrontación Este-Oeste, priorizó los intereses estratégico-militares.

Todas las opciones de presión implementadas por la administración Reagan encontraron un terreno abonado por la profundización de la crisis económica, que hizo mella con particular fuerza en las experiencia nacionalistas de Jamaica y Guyana, y por la emergencia de gobiernos conservadores.

Este período correspondió a la etapa de la Revolución de Granada. Lo hemos delimitado así porque dicho acontecimiento y la posición adoptada por Cuba se constituyeron en referentes y catalizadores para las posiciones del resto de los países del Caribe, especialmente los angloparlantes, con respecto a los problemas regionales y a las relaciones con nuestro país.

El derrocamiento de Gairy por el Movimiento de la Nueva Joya el 13 de marzo de 1979, la adopción en fecha muy temprana de una postura francamente revolucionaria y anti-imperialista por las nuevas autoridades y el accionar norteamericano con vistas a liquidar el hecho revolucionario granadino, incrementaron las contradicciones y polarizaron las posiciones de los países del área, particularmente los anglófonos.

A partir del restablecimiento de las relaciones diplomáticas (14 de abril de 1979), el apoyo a la Revolución Granadina en su esfuerzo por sobrevivir y consolidarse se constituyó en una de las prioridades de la política exterior cubana para el área. Este apoyo se materializó en acciones específicas de cooperación económica, científico-técnica, diplomáticas y de asistencia militar.

La ayuda cubana brindada a Granada, especialmente la dimensión militar de la misma, elevó las susceptibilidades de los caribeños en torno al pretendido objetivo de Cuba de promover movimientos de oposición armada para subvertir el orden socio-político existente.

La percepción del llamado "peligro cubano" fue muy potenciada por la política norteamericana, destinada a lograr el aislamiento de la Revolución de Granada y contrarrestar la proyección e influencia cubana en la región.[11] De ahí que se estimulara entre otras medidas la expulsión de Granada del CARICOM, el incremento de la campaña anticubana y la creación de una denominada Fuerza de Seguridad Regional integrada por las naciones de la Organización de Estados del Caribe Oriental (OECO), con el fin de reprimir el posible surgimiento de nuevos brotes revolucionarios en esa subregión geográfica, así como oponerse a la "amenaza granadina" en la zona. Todo ese conjunto de medidas políticas, que contaron con la anuencia de gobiernos de franca alineación con los intereses norteamericanos surgidos en esos años,[12] elevaron las tensiones políticas de la región.

---

[11] Parte de estos esfuerzos lo constituyeron las presiones norteamericanas para obstaculizar la presencia caribeña en Carifesta 79 y en la Cumbre de los NOAL en el propio año, ambos eventos celebrados en Cuba.

[12] Estos nuevos gobiernos son: Milton Cato (San Vicente) en diciembre de 1979, Kennedy Simmonds (San Cristóbal-Nevis) en febrero de 1980, Eugenia Charles (Dominica) en julio de 1980, Edward Seage (Jamaica) en octubre de 1980 y John Compton (Santa Lucía) en mayo de 1982, Seage decidió romper las relaciones diplomáticas con Cuba en octubre de 1981.

Esta nueva situación unida, al incremento de la amenaza militar, fue percibida por Cuba como de alto riesgo para su seguridad, por lo que el objetivo principal de la política exterior en esta etapa fue contrarrestar la ofensiva norteamericana en la región mediante el reforzamiento de los vínculos con aquellos países y organizaciones afines a Cuba, desarrollando un activo accionar diplomático y estimulando todas aquellas iniciativas tendientes a lograr un clima de distensión en la región.

En líneas generales, esta es una etapa en que comienzan a observarse los primeros signos de una tendencia hacia el progresivo enfriamiento de las relaciones y contactos interestatales con Cuba.

Período de retroceso de las relaciones (de 1983 hasta el presente). Muchos analistas consideran los suceso de Granada de octubre de 1983 como un punto de diferencia de dos épocas políticas en la región, apreciación válida para el análisis de las relaciones y la política de Cuba.

Las divisiones internas del Movimiento de la Nueva Joya que condujeron al asesinato de Maurice Bishop y la posterior invasión norteamericana con el apoyo de Jamaica, Barbados y las naciones del Caribe Oriental, provocaron un efecto múltiple en la situación política de la región. En primer lugar, se liquidó abruptamente la experiencia revolucionaria granadina en un momento que comenzaba a ser aceptada por todos los gobiernos del Caribe angloparlante; en segundo lugar, dichos acontecimientos contribuyeron a inclinar la balanza política a favor de las fuerzas conservadoras y, por último, a obstaculizar decisivamente la proyección cubana hacia el Caribe.

Los sucesos de Granada en sí mismos y el manejo público que de ellos hicieron los Estados Unidos abrieron una vía para un ataque norteamericano sobre la supuesta "conexión cubana" que impactó negativamente en las relaciones de Cuba con los gobiernos del área.

A pesar de que el gobierno cubano desmintió públicamente diversas acusaciones que lo vinculaban con objetivos intervencionistas, algunas de ellas se hicieron creíbles en determinados sectores quienes percibieron en la presencia cubana un factor de inestabilidad tanto nacional como regional.[13]

En esta línea se inscribió la actitud de las autoridades surinamesas que decidieron expulsar al embajador cubano, suspender la ejecución de los proyectos de colaboración y llevar las relaciones diplomáticas a un plano muy formal.

A partir de estos acontecimientos, la política cubana se centró en no reconocer a la Junta de Gobierno Provisional impuesta por las tropas de ocupación, ni al gobierno surgido en las elecciones de 1984 el cual se percibió como un resultado de la intervención norteamericana; en impugnar la representación de las nuevas autoridades granadinas en la ONU, NOAL y en otros organismos y reuniones internacio-

---

[13] La versión sobre el pretendido apoyo cubano al grupo de Bernard Coard, responsable del golpe de estado y de la muerte de Bishop y sus colaboradores, no fue creída por amplios sectores del Caribe. Desde los inicios Cuba estableció su desvinculación de los hechos que condujeron a la crisis granadina y se abstuvo de influir en su evolución posterior, demostrando una estricta observancia del principio de no injerencia en los asuntos internos de otros países. Los acontecimientos lo confirmaron. Coard se expresó en uno de los comunicados emitidos en aquellos días por el partido y el gobierno cubano: "El mérito de esa política de principio se puede apreciar ahora más que nunca, cuando se hace evidente que el personal cubano en Granada poseía capacidad combativa con la cual podía haber tratado de influir en el curso de los acontecimientos

nales; abstenerse de cualquier iniciativa que condujera a posibles vínculos con los gobiernos caribeños que apoyaron la invasión; esclarecer la posición cubana en torno a los sucesos y tender a reforzar los vínculos con Guyana, Trinidad y Tobago, Belice y Bahamas que se opusieron a la intervención militar.

Pero la correlación de fuerzas en la región posterior a 1983 no era la misma que en la década de los setenta, cuando se mostraba consensualmente a favor de Cuba.

La existencia de gobiernos de ejecutoria pronorteamericana en el Caribe anglófono y en República Dominicana, la liquidación de la Revolución de Granada, la pérdida de terreno de las fuerzas de izquierda que se acentuó a partir de los sucesos granadinos, cuando dichas fuerzas se polarizaron en los debates en torno a los mismos y la potencialización de las percepciones con respecto a los intereses de Cuba en la región a partir de su posición de apoyo a la Revolución Granadina, se combinaron para arrojar un resultado político que ya no tan sólo no propiciaba una

---

internos. Las armas que poseía el personal de construcción y los colaboradores cubanos en Granada les había nsido asignadas por Bishop y la Dirección del Partido y el Gobierno de Granda para que pudieran defenderse en caso de una agresión exterior contra Granada, como desgraciadamente ha ocurrido. Se trataba fundamentalmente de armas ligeras de i nfantería. Esas armas eran custodiadas por nuestro propio personal en sus áreas de residencia. No estaban supuestas a ser usadas en ningún conflicto interno, y no se usaron ni se usarían jamás para ello. Tampoco se había realizado ningún trabajo de fortificación, porque no era lógico hacerlo en tiempo de paz en la zona de un aeropuerto de carácter exclusivamente civil". *Granada: El mundo contra el crimen*, Editorial de Ciencias Sociales, La Habana, 1983.

ampliación de la presencia cubana sino que restaba espacio a la misma.

En esta etapa, por tanto, se verifica un sensible retroceso en el nivel de las relaciones de Cuba con el Caribe.

Perspectivas

En los inicios de la década de los noventa nos encontramos ante el hecho de una mayor disposición de los gobiernos y las élites políticas latinoamericanas a alterar los desiguales vínculos con los Estados Unidos. Cada día la crisis económica es más aguda y amenaza la estabilidad social de los países concernidos. Ante ello, los Estados Unidos responden con medidas de fuerza ya difíciles de digerir por las fuerzas políticas dominantes del continente. Sucesos como las Malvinas y la intervención militar en Panamá han servido para demostrar que las soluciones brindadas por Norteamérica están lejos de los reclamos de sus vecinos del sur y son más afines a sus intereses geopolíticos.

A pesar de que igualmente se perciben tendencias contrapuestas al replanteo de las relaciones con los Estados Unidos el propio peso de la realidad coadyuva a la toma de conciencia sobre lo necesaria que resulta la búsqueda de soluciones latinoamericanas a los problemas del subcontinente.

La situación del Caribe no es diferente a la del resto de América Latina, pero dado que la influencia norteamericana sobre la región es muy fuerte, las manifestaciones de desafío son todavía débiles. No obstante, las críticas a la iniciativa para la Cuenca del Caribe, principalmente por parte del Caribe anglófono, y la política proteccionista reflejan que las relaciones entre el Caribe y los Estados Unidos están matizadas por puntos conflictivos.

A nuestro modo de ver, esta situación va inclinando paulatinamente a los países caribeños hacia posiciones más pragmáticas que los conducen a una progresiva diversificación de las relaciones económicas externas, incluida la búsqueda de marcos de concertación regional.

La nueva proyección de los países caribeños ha adquirido signos de urgencia a partir del proceso de reestructuración que se viene produciendo en la economía capitalista mundial, una de cuyas principales características es la configuración de comunidades económicas y monetarias unificadas que marcan la tendencia hacia un nuevo tipo de relaciones multilaterales en bloque. En los últimos dos años este proceso se complejizó con la evolución de la *perestroika* en la Unión Soviética y los acontecimientos compulsivos que han sumido en la incertidumbre política y económica el futuro de los países de Europa Oriental.

Todos estos cambios globales, especialmente el desmoronamiento del campo socialista, impactan igualmente a Cuba, lo que presumiblemente le debe plantear la necesidad de la búsqueda de nuevos espacios económicos en el sistema internacional que la deben situar en línea coincidente con las aspiraciones caribeñas. En consecuencia, esto podría propiciar una actitud más abierta hacia Cuba que posibilitaría la ampliación de los vínculos, aunque quizás nunca a nivel y profundidad de los existentes en los años setenta.

En este punto se punto se plantea un problema que hay que dilucidar y es si en la búsqueda de nuevos espacios económicos externos el Caribe es tenido en cuenta por los actores institucionales cubanos.

Ante las perspectivas de un mundo unipolar bajo la hegemonía imperialista la más amplia unidad entre las naciones subdesarrolladas se plantea como objetivo estratégico del momento y en ello el Caribe no debe ser olvidado.

En este sentido, Cuba debe estar preparada para enfrentar nuevas oportunidades de revitalización de los nexos con la región. Depende de varios factores. En primer lugar, las condiciones económicas internas de Cuba. Nuestro país está atravesando por serias dificultades económicas que lo limitan en sus ofertas económicas pero no lo invalidan totalmente ante la asunción de compromisos de cooperación ya que nuestro país ha alcanzado un desarrollo en diversas esferas, especialmente en los servicios sociales, que está en condiciones de ofrecer sin que implique grandes costos.

En este contexto hay que analizar la variable norteamericana y nos preguntamos cuál sería la actitud que asumirían ante la tendencia de un mejoramiento de las relaciones entre el Caribe y Cuba.

Los cambios producidos en Europa Oriental y en Centroamérica ha sido percibidos en diversas esferas de los Estados Unidos como el fin de las bases de sustentación económica y política de Cuba y por lo tanto como condiciones para el inicio de un proceso de debilitamiento de la Revolución. En este sentido, es de esperar que actúen— y ya algunos hechos y declaraciones lo demuestran— en función de incrementar su hostilidad hacia Cuba tratando de provocar su aislamiento y erosión, pero ello podría chocar con los intereses de algunos países de la región en su política de apertura comercial hacia nuevos destinos.

En esta disyuntiva nos inclinamos a pensar que, como tendencia, los Estados Unidos aceptarían determinadas relaciones o políticas entre Cuba y el Caribe hasta el límite que implique un incremento ostensible de la presencia cubana y una variación de las posiciones políticas de los países involucrados que sean percibidas por Norteamérica como atentatoria a sus intereses en la región. Sería un costo que los Estados Unidos pudieran estar dispuestos a pagar por haber logrado una estabilidad política regional afín a sus intereses. Sin embargo, la situación regional contiene elementos explosivos de inestabilidad social por la crisis económica, y por haber estimulado un proyecto de reestructuración económica de orientación exportadora que privilegia al sector privado al cual no le ha brindado toda la ayuda que se esperaba. Esto ha sido así no sólo en lo que respecta a materia financiera, sino también en el rubro comercial, al no remover, para las importaciones caribeñas, las barreras proteccionistas. No es casualidad que los intereses comerciales que han manifestado algunos países del Caribe en sus contactos con Cuba en los últimos años han provenido básicamente de actores no estatales. Pero, esto es sólo una hipótesis que el tiempo se encargará de confirmar o rechazar.

BIBLIOGRAFÍA SELECTA:

LA ECONOMÍA Y LA POLÍTICA DE LA CUBA CONTEMPORÁNEA

Neida Pagán

Libros

Alonso, Jorge, *Cuba: la Rectificación*. Guadalajara: Universidad de Guadalajara, 1990.

Azieri, Max, *Cuba: Politics, Economics and Society*. London: Pinter Publisher, 1988

Blazier, Cole & Carmelo Mesa Lado, eds., *Cuba in the World*. Pittsburgh, Pa.: University of Pittsburgh Press, 1979.

Chaffee, Wilber A. and Gary Prevost (eds.), *Cuba: A different America*. Maryland: Rowman and Littlefield, 1991. 181 p.

Cuba, Country Profile 1991-92. Annual Survey of Political and Economic Background. London: The Economist Intelligence Unit, August 1991. 39 p.

Dalton, Thomas C., *Revolution and Reconstruction: Strategies and Social Development in Cuba Since 1960*. Boulder, Co.: Westview, 1992.

Díaz Vázquez, Julio A., *Cuba: Integración socialista económica y especialización de la producción*. Habana: Editorial Pueblo y Educación, 1986.

_____ , *Cuba y el CAME. Integración e igualación de niveles económicos con los países miembros.* La Habana: Editorial de Ciencias Sociales, 1988

Erisman, H. Michael and John M. Kirk, eds., *Cuban foreign policy confronts a new international order.* Boulder, Co.: Lynne Rienner, 1991. 244 p.

Falk, Pamela S., *Cuban foreign policy: Caribbean Tempest.* Lexington, Mass. & Toronto: Lexington Books, 1985.

Fauriol, Georges and Eva Loser, Cuba: The International *Dimension.* New Brunswick, London: Transaction Pub., 1990.

Fermoselle, Rafael, *The Evolution of the Cuban Military, 1492-1986.* Miami: Ediciones Universal, 1986.

Fitzgerald, Frank T., *Managing Socialism: From Old Cadres to New Professionals in Revolutionary Cuba.* New York: Praeger, 1990.

García, Ovidio. *Cuba: raíces y frutos de una revolución.* Madrid: IEPALA Editores, 1986

Gillespie, Richard, ed., *Cuba After Thirty Years. Rectification and the Revolution.* London: Frank Cass & Co., 1990.

Habel, Janette, *The revolution in Peril.* London: Verso, 1991. 241 p.

_____ , *Raptures a Cuba.* Paris: Ed. La Brecha, 1989.

Halebsky, Sandor and John M. Kirk, eds, *Transformation and Struggle: Cuba Faces the 1990s.* N.Y. : Praeger, 1990.

Hernández, Rafael, *La seguridad nacional de Cuba y la cuestión de la base naval de Guantánamo.* La Habana: Centro de Estudios sobre América, 1988.

Horowitz, Irving Louis, *Cuban Communism.* 7th ed. New Brunswick: Transaction Books, 1989.

Jorge, Antonio and Jaime Scuklicki, eds., *The Cuban Economy - Dependency and Development.* Coral Gables, Fla:

Institute of Interamerican Studies, University of Miami, 1989.

Kaplowitz, Donna Rich, ed., *Cuba's Ties to a Changing World.* Boulder, Co., Lynne Renner Pub., 1993. 200 p.

Kirk, John M., Between *God and the Party: Religion and Politics in Revolutionary Cuba.* Tampa, FL: University of South Florida Press, 1989. 231 p.

Lutjens, Sheryl, *The State Bureaucracy and the Cuban Schools: Power and Participation.* Boulder, Co.: Westview, 1992

Luzón, José Luis, *Economía, población y territorio en Cuba: (1899-1983).* Madrid: Ediciones Cultura Hispánica del Instituto de Cooperación Iberoamericana, 1987.

Naufal Tuena, Georgina, *La construcción económica del socialismo en Cuba (1959-1985).* Ciudad México: Centro de Investigaciones Históricas, UNAM, 1987.

Pérez, Luis P., *Cuba Between Reform and Revolution.* New York: Oxford Univ. Press, 1988.

Pérez-López, Jorge F., *The Economics of Cuba Sugar.* Pittsburgh, Pa.: Univ. of Pittsburgh, 1991

_____ , *Measuring Cuban Economic Performance.* Austin: University of Texas Press, 1987.

Roca, Sergio G., Socialist Cuba: *Past Interpretations and Future Challenges.* Boulder, Co.: Westview Press, 1988.

Rodríguez, José Luis y George Carriago, *Erradicación de la pobreza en Cuba.* La Habana: Editorial Ciencias Sociales, 1987.

Salas, Luis, *Social Control and Deviance in Cuba.* New York: Praeger, 1979.

El sistema de dirección y planificación de la economía Cubana. Santiago de Chile: ILPES, 1988.

Smith, Wayne S. and Esteban Morales Domínguez, eds., *Subject to Solution: Problems in U:S.-Cuban Relations.* Boulder, Co.: Lynne Reinner, 1988.

Stoner, L. Lynn, *From the House to the Streets: the Cuban Women's Movement for Legal Reform* 1898-1940. Durham: Duke University Press, 1991, 296 p.

Thomas, Hugh, *Cuba: la lucha por la libertad.* Barcelona-Máxico, D.F.: Edic. Grijalbo, 1974. 3 vol.

Timmerman, Jacobo, *Cuba, hoy y después.* Barcelona: Muchnik, 1990.

Tulchin, Joseph S. and Rafael Hernández, editors, *Cuba and the United States: Will the Cold War in the Carribbean End?* Boulder, Co.: Lynne Rienner, 1991. 150 p.

Zimbalist, Andrew, Ed., *Cuban Political Economy. Controversies in Cubanology.* Boulder, Co.: Westview, 1988.

_____ , *Cuba's Socialist Economy Toward the 1990s.* Boulder, Col: Lynne Rienner Pub., 1988.

_____ , and Claes Brundenius, *The Cuban Economy: Measurement and Analysis of Socialist Performance.* Baltimore: Johns Hopkins Univ. Press, 1989.

Zuikov G., *et al,* Informe sobre la economía de Cuba. URSS: Fundacion Liberal José Martí, Academia de Ciencias de la URSS, 1992. 196 p.

Artículos en revistas académicas

Alonso, Aurelio, "Fe Católica y revolución en Cuba: contradicciones y entendimiento", *Cuadernos de Nuestra América* 7:15 (julio-diciembre 1990): 122-136.

Alvarez, Alberto, "Cuba-América Latina: el caso de las relaciones interestatales con Colombia", *Cuadernos de Nuestra América* 7:15 (julio-diciembre 1990): 170-195

Benítez Manaut, Raúl, "Fuerzas armadas, sociedad y pueblo: Cuba y Nicaragua", *Revista de Ciencias Sociales* 25: 3-4 (julio-diciembre 1986): 649-723.

Blanco, Juan Antonio, "Cuba: Utopía y Realidad", *Cuadernos de Nuestra América* 7: 15 (julio-diciembre 1990): 10-52.

_____ , "Cuba: utopía y realidad treinta años después", *Cuadernos de Nuestra América* 7:15 (julio-diciembre 1990): 10-26.

Castro, Fidel, "La Crisis del Socialismo en Europa y su Impacto en la Revolución Cubana", *El Caribe Contemporáneo* 21 (julio-diciembre de 1990): 81-104.

Castro Mariño, Soraya, "El congreso y la política hacia Cuba en los años 80: tendencias actuales", *Cuadernos de Nuestra América* 9:18 (enero-junio 1992): 49-57

Díaz-Briquets, Sergio, "Regional Differences in Development and Living Standards in Revolutionary Cuba", En *Cuban Studies* 18, Carmelo Mesa-Lago, ed. Pittsburgh, Pa.: Univ. of Pittsburgh Press, 1988, 45-63

Dilla, Haroldo. "Democracia y Poder Revolucionario en Cuba", *Revista de Ciencias Sociales* 25: 3-4 (julio-diciembre 1986): 361-381.

_____ y Rafael Hernández, "Cultura Política y Participación Popular en Cuba", *Cuadernos de Nuestra América* 7:15 (julio-diciembre 1990): 101-121.

Domenech, Silvia, "El Proceso de Rectificación, la Economía Política del Socialismo y el Sistema de Dirección Económica", *Cuba Socialista* 41 (septiembre-octubre 1989): 18-40.

Eckstein, Susan, "The Rectification of Errors and the Errors of the Rectification Process in Cuba", En: *Cuban Studies* 20, Carmelo Mesa-Lago, ed. Pittsburgh, Pa.: Univ. Pittsburgh Press, 1990, 67-85.

Fernández, Damián J., "Cuba: ¿Inflexibilidad Total?" *Hemisphere* 2:3 (Fall 1989): 10-11.

Figueras, Miguel Alejandro, "Cambios Estructurales en la Economía Cubana", *Cuadernos de Nuestra América* 7:15 (julio-diciembre 1990): 82-100.

209

Fitzgerald, Frank T., "The Reform of the Cuban Economy, 1976-1986: Organization, Incentives and Patterns of Behavior", *Journal of Latin American Studies* 21 (May 1989): 283-310.

González, Rubí, Rafael, "Cuba: Treinta Años de Travesía Transformadora", *Comercio Exterior* 39:1 (enero 1989): 36-42.

Hernández, Rafael, "El ruido y las nueces II: el ciclo en la política de los Estados Unidos hacia Cuba", *Cuadernos de Nuestra América* 9:18 (enero-junio 1992): 4-21.

_____ y Haroldo Dilla, "Cultura política y participación popular en Cuba", *Cuadernos de Nuestra América* 7:15 (julio-diciembre 1990): 101-121.

Horowitz, Irving Louis, "Insular Revolution", *Hemisphere* 2:3 (Summer 1990): 22-24.

Klinger Pevida, Eduardo, "Posibilidades de una Economía Socialista Frente a la Problemática del Endeudamiento Externo: El Caso de Cuba, *El Economista* 4:8 (marzo 1989): 28-47.

Knight, Franklin W., "Cuba. Politics, Economy and Society, 1989-1985". En: *The Modern Caribbean,* eds. Franklin W. Knight and Colin A. Palmer. Chapel Hill and London: Univ. of North Carolina Press, 1989, 169-184.

Martín, José Luis, "La juventud en la revolución cubana: notas sobre el camino recorrido y sus perspectivas", *Cuadernos de Nuestra América* 7:15 (julio-diciembre 1990): 137-143.

Martínez Heredia, Fernando, "Cuba: Problemas de la Liberación, el Socialismo y la Democracia", *Cuadernos de Nuestra América*, 8:17 (julio-diciembre 1991): 124-148.

_____ , "El socialismo cubano: perspectivas y desafíos", *Cuadernos de Nuestra América* 7:15 (julio-diciembre 1990): 27-52.

Monreal, Pedro y Julio Carranza Valdes, "Cuba en la actual agenda política norteamericana: notas para una evaluación", *Cuadernos de Nuestra América* 9:18 (enero-junio 1992): 22-35.

Morales, Josefina y Carmen Sara Nápoles, "Cuba: el Proceso de Industrialización y su Dimensión Regional", *Prob. del Desarrollo* 22:85 (abril-junio 1991): 199-126.

Mujica Cantelar, Rene, "El futuro de las relaciones Cuba-Estados Unidos: una visión cubana sobre la perspectiva de Washington", *Cuadernos de Nuestra América* 7:15 (julio-diciembre 1990) 208-222.

Pell, Clairborne, "Time for change in Cuba", *Hemisphere* 2:3 (Summer 1990): 30-31.

Pérez, Lisandro, "Cuba and the American left", *Hemisphere* 2:3 (Summer 1990): 13-14.

Pérez López, Jorge F., "Rectification at three: impact on the Cuban economy", *Studies in Comparative International Development* 25:3 (Fall 1990): 3-36.

_____ , "Swimming against the tide: implications for Cuba of Soviet and Eastern European reforms in foreign economic relations", *Journal of Latin American Studies* 33:2 (Summer 1991)

Prieto González, Alfredo, "Cuba en la prensa norteamericana: la 'conexión cubana' ", *Cuadernos de Nuestra América* 7:15 (julio-diciembre 1990): 223-257.

_____ , "La imagen de Cuba en los Estados Unidos: las perspectivas de los 90", *Cuadernos de Nuestra América* 9:18 (enero-junio 1992): 36-48.

Ritter, Archibald R.M., "The cuban economy in the 1990s: External challenges and policy imperatives", *Journal of Interamerican Studies and World Affairs* 32:3 (Fall 1990): 117-149.

Rivero, Nicolás, "Comercio internacional del azúcar: el enigma cubano", *Norte/Sur* 1:5 (febrero-marzo 1992): 33-39.

Robbins, Carla Anne. "Dateline Washington: Cuban-American chout", *Foreign Policy* 88 (Fall 1992): 162-182.

Rodríguez, José Luis, "Los cambios en la política económica y los resultados de la economía cubana (1986-1989)", *Cuadernos de Nuestras América* 7.15 (julio-diciembre 1990): 63-81.

Stubbs, Jean. "State versus Grass-Roots Strategies for Rural Democratization: Recent Development Among the Cuban Peasantry", En: *Cuban Studies/Estudios Cubanos* 21, Louis A. Pérez, ed. Pittsburgh, Pa.: Univ. of Pittsburgh Press, 1991, 149-158.

AUTORES

HAROLDO DILLA ALFONSO es historiador graduado de la Universidad de La Habana en 1972. Ha desarrollado diversas investigaciones arqueológicas, históricas y sociológicas. Sus artículos han sido publicados en más de una decena de países en Europa, Norteamérica y América Latina. Ha publicado varios libros y avances de investigación, entre ellos *Arqueología de Cuba* (La Habana, 1975), *Ramón Emeterio Betances* (Coautor, La Habana, 1983) y *Fin del desarrollismo y auge del neoliberalismo* (Coautor, Santo Domingo, 1983). En estos momentos dirige un equipo multidisciplinario sobre el proceso de descentralización del Estado en Cuba, una parte de cuya producción, relativa a los gobiernos locales, se encuentra en proceso de publicación. Entre 1989 y 1990 fue becario Pearson del International Development Research Centre en Ottawa.

JORGE I. DOMÍNGUEZ es profesor de Ciencias Políticas y miembro del Comité Ejecutivo del Centro sobre Asuntos Internacionales de la Universidad de Harvard. Fue

presidente de la Asociación de Estudios Latinoamericanos de Estados Unidos y actualmente preside el Instituto
de Estudios Cubanos. Colabora con el Interamerican
Dialogue. Entre sus publicaciones recientes se encuentran *To Make a World Safe for Revolution: Cuba's Foreign
Policy* (1989) y *U.S.-Cuban Relations in the 1990's* (1989)
con Rafael Hernández.

GERARDO GONZÁLEZ NÚÑEZ es economista e investigador del Centro de Estudios sobre América de La
Habana, Cuba. Ha realizado diversas investigaciones
sobre temas económicos y de relaciones internacionales
referidos tanto a Cuba como al Caribe. Sus artículos han
sido publicados en revistas especializadas y libros en la
América Latina, el Caribe, Estados Unidos y Europa. Es
autor del libro *El Caribe en la política exterior de Cuba*
(Cipros, R.D., 1991). Ha impartido conferencias y cursos
en varias universidades cubanas y extranjeras. Sus temas
de investigación más recientes han sido: CARICOM y la
integración del Caribe, Cuba y la integración del Caribe,
la política exterior de Cuba hacia el Caribe, cambios en
el sistema internacional y participación y desarrollo en
los municipios cubanos.

NEIDA PAGÁN es bibliógrafa especializada en estudios del
Caribe, graduada de la Universidad de Pittsburgh. Miem-
bro activo de la Asociación de Bibliotecas Universitarias
de Investigación e Institucionales del Caribe (ACURIL).
Editora de las bibliografías "Recent books" (1971-1975) y
"Caribeña" publicadas en la revista *Estudios del Caribe/
Caribbean Studies*. Se desempeña como bibliotecaria en la
Biblioteca Regional del Caribe de la Universidad de
Puerto Rico y es asesora bibliográfica del Area de Investi-
gación "Paz y desarrollo en el Caribe" del Instituto de
Estudios del Caribe.

SANTIAGO PÉREZ es investigador del Centro de Estudios sobre América y profesor del Instituto de Relaciones Internacionales en La Habana, Cuba. Graduado de Relaciones Internacionales en Moscú. En 1989 y 1990 fue investigador visitante del Instituto de Estados Unidos y Canadá de la Academia de Ciencias de la URSS. Investigador visitante en 1990 de la Universidad de Harvard de EE.UU. Ha impartido conferencias en varias universidades norteamericanas —Columbia, Princeton, del Sur de California, UCLA, Indiana, entre otras—, en Puerto Rico y en la ex-URSS. Ha publicado sobre la política tercermundista de EE.UU. y la ex-URSS, y sobre el impacto de los cambios internacionales en la política externa e interna de Cuba. Sus contribuciones han aparecido en distintos órganos académicos y de opinión de Cuba, EE.UU., México, Nicaragua y Venezuela.

MARIFELI PÉREZ STABLE es Profesora Asociada en Sociología en la State University of New York en Old Westbury. Fue profesora invitada en la New School for Social Research en 1991-1992 bajo los auspicios de la National Science Foundation. Es autora de *The Cuban Revolution: Origins, Course and Legacy* (Oxford University Press, 1993). Desarrolla investigaciones sobre la estructura social cubana entre 1868 y 1960, especialmente la formación y el desenvolvimiento de la burguesía.

JORGE RODRÍGUEZ BERUFF (compilador) es catedrático del Departamento de Ciencias Sociales de la Facultad de Estudios Generales de la Universidad de Puerto Rico. Cubano, residente en Puerto Rico desde 1961. Coordinador del Area de Investigación "Paz y desarrollo en el Caribe" del Instituto de Estudios del Caribe. Autor de *Los militares y el poder: un ensayo sobre la doctrina militar en el Perú, 1948-1968* (1983), *Política militar y dominación,*

Puerto Rico en el contexto latinoamericano (1988) y numerosas otras publicaciones sobre temas caribeños. Actualmente colabora con Humberto García Muñiz en un volumen sobre conflictos y seguridad en el Caribe.

NELSON P. VALDÉS nació en Cuba y vive en Estados Unidos desde 1961. Profesor de Sociología e Historia en la Universidad de Nuevo México. Director del Latin American Data Base desde 1986. Ha editado libros sobre el Che Guevara, Fidel Castro y la Revolución Cubana. Connotado bibliógrafo y conocedor de los recovecos de las telecomunicaciones, radioteletipos y comunicaciones por onda corta. Actualmente escribe un libro sobre cultura popular y política en Cuba donde analiza la influencia de la santería y la mayombería en el nacionalismo cubano. Marxista cuando ya no es moda, pues la epistemología no se cambia como las camisas. Y con un "alto sentido del humor".

ANA MARÍA VICENTELLI es venezolana, posee una licenciatura de la Universidad de La Habana. Ha ocupado varios cargos diplomáticos en Europa y es investigadora en el Centro de Estudios sobre América de La Habana, Cuba.

ÁREA DE INVESTIGACIÓN

AREA DE INVESTIGACION
DEL INSTITUTO DE ESTUDIOS
DEL CARIBE

"PAZ Y DESARROLLO EN EL CARIBE"

La investigación académica y la divulgación sobre la paz y el desarrollo en el Instituto de Estudios del Caribe se remonta a 1987-1988 y se enfocó inicialmente en los procesos de fortalecimiento de las fuerzas de seguridad en el Caribe angloparlante. El área de investigación se establece formalmente a principios de 1988 como uno de los componentes prioritarios de investigación a largo plazo del IEC.

El objetivo general de esta área de investigación es llevar a cabo y promover la investigación, realizar actividades académicas, fomentar la docencia, auspiciar publicaciones y acciones de divulgación relacionadas con los temas de paz, seguridad y desarrollo en la región del Caribe. Estos temas generales se conciben desde una perspectiva amplia que rebasa, aunque no excluye, la consideración de los aspectos militares y de fuerza que inciden en la situación regional y abarca, por consiguiente, aspectos ideológicos, culturales, económicos, políticos y de relaciones internacionales.

Para el logro de este objetivo el área concibe el trabajo académico en el marco de la acción colaborativa de investigadores académicos, instituciones y personas interesadas. Por tanto, pone particular énfasis en el desarrollo de redes nacionales e internacionales que propicien actividades conjuntas. Desde su creación un grupo de investigadores ha mantenido una relación de colaboración y participación en el área.

Miembros de la Comisión Académica del Área:
Jorge Rodríguez Beruff (Coordinador)
Gilberto Arroyo
Miguel Ceara Hatton
Humberto García Muñiz
Rita Giacalone
Gerardo González Núñez
Ivelaw Griffith
Michel Martin
Paul Latortue
David Lewis
Wilfredo Lozano
Dion Phillips
César Rey
Pedro Rivera
Andrés Serbín

Asesoría Bibliográfica:
Neida Pagán

La economía y la política de la Cuba contemporánea
Bibliografía Selecta
Neida Pagán Jiménez, Asesora Bibliográfica